人生的四大祕密

健康的祕密

The Ten Secrets of Abundant Health

亞當．傑克遜 (Adam J. Jackson)◎著　周思芸◎譯

我要向在我寫作這本書期間給予我協助的所有人致謝，特別是以下幾位：

我的版權代理人莎拉．麥古和她的助理喬治亞．格洛弗，謝謝他們為我所做的努力和種種設想；

始終鼓勵我並給予我靈感的母親，引導我、鼓勵我的父親，和我親愛的家人與朋友們；

最後——我的妻子凱倫，也是我最親密的朋友和編輯，

她對我及我的工作充滿信心，再多的言語都無法表達我對她的愛。

目錄

未來的醫生將不需要對患者進行藥物治療，
取而代之的治療方法將是人性化的關懷、調節飲食以及疾病預防措施。

——愛迪生

我們都渴望擁有健康，卻很少人能達成心願。為什麼這麼多年來，現代醫學日益發達、藥品銷量不斷增加，營養食品更是多樣化，但心臟病與癌症等疾病的發病率卻愈來愈高？難道我們尋求健康的方法不恰當嗎？

每一個人都希望能常保健康，享受元氣十足的健康生活。健康，是一種精力充沛、身體舒泰安康的狀態。但沒有疾病，並不代表身心健康。因為許多人雖然沒有明顯的病徵，卻常常感到疲倦或虛弱。

本書中的故事，全部取材自真實生活中的真人真事，只是改變了人物的真實姓名（只有中國老人，是根據我所遇到過的多位睿智長者的綜合特徵構造的角色）。我希望這些故事能激勵您為自己的健康著想，使生命變得元氣十足、活力無限。

病人

當他走出醫生的診療室時，臉色慘白，手仍在不停地顫抖著。他把診療室的門掩上後，茫然地來到醫院的掛號處。剎那間，他感到天旋地轉，身體變得虛弱不堪，頓時失去了平衡。他立即扶住前面的一張椅子，緊靠著椅子坐了下去。

雨點狂亂地敲打在入口旁的窗玻璃上，一個讓他苦惱的問題一直在他腦海裡揮之不去——每個人面對這種猶如晴天霹靂的噩耗時，都會這樣問：「為什麼是我？」

他為自己竟然會罹患這樣的重病感到不幸和不公平，卻沒有反思過，造成今日的惡果，其實要歸咎於自己對健康的忽略。最後，他忍不住傷心地哭出聲來。

苦難來得這麼快，一夕之間使他的人生近乎崩潰。他進入學院才一年，剛剛安定下來，並且以高分通過了所有考試，大家都認為他將有一個美好的未來。但現在，人生中最重要的事情——健康，卻讓他身陷谷底。

健康是生命中最珍貴的財富，人們卻常常忽略了自己的健康。許多人照顧自己的車子遠比照顧自己的身體來得細心，這個年輕人也不例外。

健康是永遠不可大意對待的，否則，就會像這個年輕人一樣，得知自己罹患重病後，才開始關注自己的身體。更糟糕的是，醫生竟然告訴他：「很抱歉，我實在無能為力……我們沒有辦法醫治你的病。」

他的生活突然全亂了，永遠不再像以前了。

年輕人雙手緊抱著頭，蜷縮在大廳角落裡，他的內心充滿絕望、恐懼和孤獨。此時，他想到要做童年以後就再也不曾做過的一件事——祈禱。但這不是一般的禱告，而是發自他內心深處的禱告：「喔！天父！請幫幫我，為我指引一條出路吧！」

祈禱會帶來神祕的力量，一種不可言喻的力量。若能善用這股力量，可以提升靈魂和元氣，克服心理障礙，治癒身心疾苦。並且，如果祈禱誠摯而意志堅定的話，奇蹟也許會發生——作為禱告的回報。

相遇

「你遇到什麼麻煩了嗎？我可以幫你什麼忙嗎？」

年輕人轉過身，發現自己身旁站著一位中國老人；這老人身材矮小、神情謙遜，有著深棕色的眼眸，頭頂光禿，只剩兩道雪白的鬢髮。

「我會沒事的，謝謝你。」他低聲回答老人。

老人坐下來，對年輕人說：「我們要相信，任何困難到來時都會同時帶來一份禮物。」

「我的困難裡沒有禮物。」年輕人喃喃說著。

「喔！我保證一定有。」中國老人說道，「有時候這禮物不容易被發現，不過一定有，即使是在生病的時候。」

年輕人相當震驚。老人的話是什麼意思？為什麼他會說到「生病」這字眼呢？年輕人並不記得自己曾經遇見過這老人，可是對他卻有種似曾相識的感覺。不是因為他的臉孔，因為如果見過，絕不會忘記這張臉孔——表情慈祥、平靜，眼神溫和。可能是因為他的聲音，但年輕人確定自己也不會忘記這種溫柔的東方口音。不！他真的不知道，可是這位中國老人的確讓他覺得似曾相識。他猜測老人可能是正在休假的外籍老師。

「生病可能帶來什麼『禮物』？」年輕人虛弱地問。

「痛苦如同黎明前的黑夜，將會為生命帶來更多的喜悅和希望。比如，生產的痛苦孕育出自然界最偉大的奇蹟——生命，這就說明病痛為什麼會帶來『健康』這的禮物。」

年輕人迷惑了，心想：「病痛怎麼能帶來健康？」但還沒來得及問，老人就繼續說道：「病痛只是身體發出的疾病報警信號。例如，傷風或發燒就是身體發出的一種信號，藉此告知你，身體正在跟入侵的病菌對抗。肚子痛則是身體向你發出預警：你吃錯東西了；背痛是身體在提醒你神經太緊張了，需要休息了。

「你瞧，病痛是我們真正的朋友；它們是上天派來的信差，當身心出現問題時，由它們告知我們。也就是說，我們必須學會接收身體向我們發出的這些訊息。」

「喔！那是一個我聽到了也無能為力的『訊息』。」年輕人突然插話。

「嗯，是嗎？」老人問道，「試想一下，如果你無法感覺到任何痛楚，你的生命會是什麼樣子？你會連自己是怎麼死的都不知道。可能有一天你坐在爐火旁，低頭卻發現手臂已經被燒壞了，因為你聽不到身體發出的痛楚聲音，告訴你該把手臂移開。

「一般人都認為病痛是他們最糟的敵人，因而想方設法要消除它們，或通過藥物抵抗它們。然而，這並不能解決問題。如果導致疾病的原因沒有根除，就等同於治標不治本，病情只會繼續惡化。最後，愈來愈依賴藥物以抑制痛楚的結果，往往會引發更多的問題和副作用。」

年輕人回想著自己的過去，當他開始使用醫師開給他的處方之後，疾病的徵兆的確愈來愈多。

「如果是不治之症呢？」年輕人接著問道。

「很少疾病是不治之症，」老人說，「很多被宣告無法治好的病人，其實是不願意康復的人。」

「可是，不是每個人都希望健康嗎？」年輕人感到疑惑。

「在他們的頭腦裡，可能是這麼認為；但在他們的潛意識中，未必真想得到健康。如果每個人都希望健康，那他們會去做損害健康的事情嗎？難道他們不知道抽煙、喝酒過量和飲食不當會損害人體健康嗎？」

「我明白了。」年輕人說。

「這些人生病時，仍然拒絕改變不健康的生活習慣，直到病入膏肓。他們剛開始生病時，在心態上就已經無藥可救了。因為他們根本就不懂得愛惜身體、關心自己的健康狀況，只是一味地想擺脫疾病和痛苦。」

「可是，身體的疾病往往很複雜。」年輕人辯稱。

「不盡然。事實上很簡單，想想你第一次生病的病因是什麼？」老人問。

「我不知道。這種事兒就這麼發生了，不是嗎？我的醫生就是這麼說的。我想這是命運或運氣不好吧！」

「真的？你不認為每種疾病都應該有個病因嗎？」

「我不確定。」年輕人聳聳肩。

老人看著年輕人說：「你能想像哪個自然現象的發生是沒有任何原因的嗎？看看

外面的雨水，是碰巧落下來的嗎？還是雲層造成的？」

老人繼續說：「自然界是有定律的。水要到攝氏一百度才會沸騰，不是九十九度，也不是一〇一度，正巧是一百度。相同的道理，水在攝氏零度時才會結冰。」

老人從口袋中掏出一枚硬幣，說：「如果我放手，你覺得硬幣會怎麼樣？」

「會掉在地上。」年輕人說。

「為什麼會掉在地上？是巧合？還是運氣？」

「不！當然不是。是因為它比空氣重才會掉下去，這是萬有引力定律。」年輕人說。

「完全正確。」老人說，「萬有引力是自然界的許多定律之一。萬物皆有定律，宇宙間沒有什麼事是碰巧發生的。健康和疾病也不例外。擁有健康，是因為我們遵循了生命的自然定律，罹患疾病則是由於我們違反生命的自然定律所導致。試想，抽煙的人會有健康的肺嗎？」

「當然不會有。」年輕人回答。

「總是吃不健康食物的人，能吸收到充足的營養嗎？」

「不會。我懂你的意思了。」年輕人說，「可是，那細菌和病毒呢？它們會引發疾病，跟我們的生活有什麼關係呢？」

「細菌和病毒必須依附在媒介上才得以存活，」老人解釋道，「病菌只在不健康的環境中才會滋長。如果你保持房子乾淨清潔，病菌就無法容身，因為它們在潔淨的環境中無法存活。」

「可我們還是難免會接觸到細菌。」年輕人說。

「細菌本身不會導致疾病。如果說髒亂的居家環境會成為病菌傳播的媒介，使得細菌在其中生存滋長；那麼，不健康的體內環境則是病菌在體內傳播的媒介。病菌無法在潔淨的健康環境中生存，同樣，細菌也無法在健康的體內環境中活動。

「人們對於病菌有過多的恐懼，卻忽略了病菌的傳播途徑。只要消除病菌賴以存活的媒介，我們就有可能遠離病菌。

「這是健康的生活之道。因此，想要治癒疾病，恢復健康，首先要從改變生活習慣開始，以遵循生命的自然定律。」

「這聽起來是有點道理，不過，是不是想得太簡單了？」年輕人說。

老人微笑著說：「這本來就很簡單。因為太簡單了，許多人反而難以明白。這是自然界的恆常定律，遵循它，就會得到健康；反之，則會罹患疾病。」

年輕人同意老人的觀點，可是他不明白這和他有何關聯。

「讓我解釋給你聽。」老人說，「所有的疾病都是身體產生的不舒服感覺，對嗎？」

「是的。」

「所有的『不舒服』都是有原因的，對吧？」

「我想是的。」

「如果要消除不舒服的感覺，就必須先消除引起不舒服的原因，是嗎？」

年輕人點頭同意。

「你看那兒有位先生，」老人指著坐在另一排椅子上的一名男子，說道，「他從十年前開始，每個星期都要承受偏頭痛之苦，這起因於他的飲食習慣。他吃很多巧克力、乳酪和肉類食品，而且每天大量飲酒。他大可以藉由改變飲食習慣，避免引起偏頭痛。可是，他偏偏選擇用藥物來抑制疼痛。

「一年後，他需要更多的劑量，但這種特效藥物的副作用會使血壓上升，所以他又服用另一種藥來控制高血壓。現在，動脈已經硬化，這病不但損害他的心臟，也完全破壞了他的生活品質。他每天必須服用藥物，但心臟虛弱到快步行走都不行，更別說跑步了。於是，他要求醫生為他動手術裝一個電子心臟節律器，以強化心臟功能。

「但他還是得繼續忍受更加劇烈的偏頭痛，發病次數也更頻繁。今日的苦果起因於他選擇抑制疼痛，而不是針對病因真正去解決問題。

「你看，有效的治療並不是透過藥物實現的。我們不能從藥罐子或醫生的手術刀中找到健康。當然，我並不是否定所有的醫學治療。在緊急情況下，現代醫療可以救人一命，但急救療法不能創造健康。身體以外的任何東西都無法治療疾病或創造健康。」

「如果醫學不能創造健康，那什麼才可以呢？」年輕人問。

「好，想像一下，」老人說，「你正把一根釘子往牆上釘，一不小心敲到拇指了，傷口會復原嗎？」

「當然會。」年輕人說。

「沒有任何膠囊或藥膏，也會復原。對吧？」

年輕人點點頭。

「為什麼？」老人反問。

「傷口自己會癒合啊！」年輕人說。

「對了！你看，『傷口自己就會好起來』，因為人體有自我療癒的力量。」老人說，「可是，如果第二天你又敲到拇指了，第三天還是敲到，之後每天你都敲到，會發生什麼事呢？不停地敲到它，它還會好嗎？」

「如果一直弄傷它，當然不會囉！」

「當然，因為你沒有消除導致痛楚的源頭。一旦你停止敲打拇指，就會逐漸痊癒，因為人的體內具有自然的療癒力量。

「自然界的萬事萬物都遵循著同樣的道理；樹木被砍掉枝椏，汁液流出來後，會自然恢復繼續生長。我們要堅信，人體的自癒力量可使身體具備自我療癒功能。

「長久以來，許多人的生活習慣都很糟糕，因此也給自己的身心造成愈來愈多的傷害，這就好比我們每天都用榔頭敲擊自己的身體。要治癒身體的疾病，首先必須停止敲打的行為。驅除疾病必須先排除病因。

「我的朋友啊，在這世界上要想有收穫，就得先播種，這就是所謂的因果法則。你要全然相信自己絕對能夠掌控自己的命運，不要懷疑。你有權利選擇過健康或生病的生活，意識到這一點，即是邁向健康之路的第一步。接著，你也擁有了改變現狀的力量。

「人不但有自我療癒的能力，更能常保健康……只要改變生活形態、瞭解自然的運行法則，為自己的身體狀況負責。沒有其他人可以為你的健康負責，包括醫生、父母、老師、心理醫生等。接受這種信念，就意謂著你做好了戰勝疾病的準備，這時，健康就已經離你不遠了。」

年輕人總算明白了。他從來沒想到健康是掌握在自己手上的，更不知道常保健康的祕訣。

這時，年輕人開始仔細地打量老人，發現他的外表相當引人注目；多數老人都會讓人感覺年老體衰，可是這老人家卻與眾不同；他的皮膚富有彈性，眼睛炯炯有神，年輕人似乎很少看到這樣精神奕奕的人。老人強健的體魄也使得他口中關於保持身心健康的觀點非常具有說服力。

「記住，」老人接著說，「我們都有戰勝病魔、常保身心健康的能力。健康就是精力、能量，是生命的喜悅和財富。

「萬事萬物皆有定律，包括你的健康在內。只要遵循健康的自然法則，就可以戰勝病魔，恢復身心的安康。這些法則包含了許多不為人知的祕密。」

「那是什麼祕密？」年輕人問。

「健康的祕密。」老人邊說著，邊在一張紙上寫下十個人名和他們的電話號碼，「跟這些人聯繫，他們都學會並且掌握了常保健康的祕密，他們會教你一些你想學習的東西。

「請記住，要驅除疾病、恢復健康，首先必須做的最簡單、最重要的一件事情，就是排除病因。只要排除了病因，就一定能驅除疾病。如此類推，每種疾病都有其相應的治療方法，如同每個問題都一定有相應的解決之道。

「《聖經》裡就寫道：『提出要求的人，就會被給予；門為敲門者而開，而去尋找的人，必會找到。』因此，全心全意去尋找健康，你必定會得到它。」

老人說完，把紙條交給了年輕人。年輕人低下頭仔細看了看紙條，當他再次抬起頭，發現老人已經離開了，跟他出現時一樣悄無聲息。

年輕人還有許多問題想問這位老人，於是向教務處打聽這位新來的中國老師是誰，以及哪裡可以再找到他。

「你說的是誰？」教務人員問道，「我們沒有新來的中國老師啊，也沒有新來的日本老師。」

「你確定嗎？」年輕人不願放棄。

「當然，我很確定。事實上，我們唯一的東方教師是數學系的張女士，而她已經在這裡任教五年了。」

年輕人完全迷糊了。這位中國老人到底是誰？他從何處來？更重要的是，這老人所言當真嗎？真的存在健康法則嗎？一切都發生得太突然了，恍如一場夢。老人是自己想像出來的嗎？但年輕人很確定自己跟老人談過話，因為證據就在手上——老人臨走時交給他的紙條。

祕密1
意念的力量

紙條上的第一個人，是位名叫做凱倫．莎爾斯頓的女士。年輕人一回到家就迫不及待地打電話給她，並把今天與老人相遇的經過告訴了她，而她也立即熱情地回應他，並約定第二天下午三點鐘會面。

第二天整個上午，年輕人無法克制地想像著第一次的會面將會為他的生命帶來什麼改變。下午三點，他準時來到第一位老師面前。莎爾斯頓太太是位臨床心理學家，育有兩個小孩。年輕人不明白心理學跟健康到底有何關聯，但他至少可以確定，自己到目前為止並沒有心理方面的困擾。

「你想學習健康的法則嗎？」莎爾斯頓太太問年輕人。

「健康法則真的存在嗎？」年輕人問。

「當然囉！」莎爾斯頓太太回答，「健康法則從人類誕生起就有了，只要掌握了這些法則，就能治癒所有疾病，得到所有人都祈求的身心健康。

「常保健康有許多方法，但曾經對我的人生產生最重大影響的，就是『意念的力量』。人們常常誤以為意念只會影響情緒和精神，事實卻是，意念是健康之源，影響心理和生理的健康。所有的疾病都源自意念。」

「意念為什麼這麼重要呢？」年輕人問道。

「因為你的意念控制著你的身體。你隨時都可以看到意念的力量：人們困窘時，臉會發紅；受到驚嚇時，臉色蒼白；緊張時，手心會冒汗、膝蓋會發抖。這些情況都是意念影響身體的實例。我們不妨現在就做個試驗。現在，閉起雙眼，試著去想像一顆檸檬。」

年輕人坐在椅子上，閉上雙眼。「我看到檸檬了。」他說。

「現在，想像你咬下一口檸檬。」

年輕人臉上立即露出苦澀的表情，他感覺到牙齒一陣酸軟，彷彿真的咬到了檸檬。

「現在你發現意念的力量有多強大了吧?!」莎爾斯頓太太說,「你只不過想像一顆檸檬,而你身體的反應卻把它當真,這就是意念的力量。你的意念控制你的思想,而你的思想則控制身體的反應。剛才的實驗中,意念的力量使你分泌唾液。同樣的,我們可以利用意念的力量促使免疫系統製造出更多的白血球,或減輕疼痛,甚至幫助我們治療許多疾病,包括癌症。」

「第一次學習的時候,我跟你一樣迷惑。」她說,「可是,相信我,意念的力量挽救了我的生命。十年前,我的頭部長了個惡性腫瘤。醫生告訴我說,這個腫瘤無法切除,我活不過一年。你可以想像,當時我完全崩潰,認定自己很快就會死去。可是你也看到了,直到現在我還活著。」

「到底是怎麼一回事呢?」年輕人迫不及待地問著。

「我遇到一個人,他幫助我挽回了生命。是一位矮小的中國老人!」

莎爾斯頓太太的話讓年輕人感覺到一陣興奮感蔓延全身,他也馬上意會到,這正是意念影響身體的另一個例子。

「我是在市立圖書館遇到他的,」莎爾斯頓太太繼續說,「那時,我在工具書部門當助理圖書館員。他向我詢問一本關於視覺創造力和一本關於意念治療力量的書。」

「圖書館裡剛好沒有這些書，所以我必須去訂購。訂購的書籍通常一個星期後才會送到，可是這兩本書卻在第二天早上就送到我桌上了。書名讓我覺得好奇，所以我就先睹為快了。其中一本書的作者是位醫生，而全書的主要內容是，意念的力量可以治癒很多不治之症。書裡並且記錄了許多個案，包括存活下來的癌症病人，他們純然是以意念的力量戰勝了癌症。這真的很不可思議，我決定依照上面所建議的技巧，自己試試看。」

「你怎麼做呢？」年輕人急切地想知道答案。

「首先，我運用了『視覺創造力』——這是一種在心裡創造出治療意象的技巧。我嘗試想像出腦中的腫瘤，然後想像它正被小鯊魚吃掉。每天早上和晚上，我會舒服地躺下或坐在椅子上十五分鐘，想像腫瘤被吃掉的情景。這麼做之後，我真的感覺好多了，身體也強壯多了。」

「真的？」年輕人問。

「真的！我們何不現在就試試看。閉上你的眼睛，深呼吸……很好……現在，想像你的疾病正被消滅。你可以用你想用的任何方式，槍、太空人、牛仔或印地安人等，隨意發揮。你甚至可以想像你的疾病就像太陽底下的冰塊，正漸漸被消融。隨便你怎麼想，重要的是，想像你的身體正在消滅病菌。」

年輕人想像有一架超級太空梭在他的身體裡射殺病菌，然後想像自己看起來已經變得更健康、更強壯了。幾分鐘之後，莎爾斯頓太太要他停止想像。

「你現在覺得怎麼樣？」她問。

「你相信嗎？」他驚叫道，「我感覺非常舒服，感覺自己更有元氣，精力更加旺盛了。」

「很好，這就是你的感覺。現在想像你持續更長時間，譬如十五到二十分鐘，每天兩次或三次，你會有什麼感覺？」

「我明白了。」年輕人說。

「另外還有一個很重要的技巧，叫做『治療宣言』。」莎爾斯頓太太說。

「對不起，我沒聽懂，什麼是『治療宣言』？」年輕人問。

「『宣言』是用來提醒自己必定能恢復身心健康的座右銘。你必須不斷地重複表述，或大聲唸出來，或在心裡默唸。唸出來的效果會更顯著。」

「這樣真的有效嗎？」年輕人問。

「當你一直重複強調某件事，久而久之，這件事就會成為你心中無法磨滅的烙印。比方說，如果我告訴你，不要去想一頭穿著紫色和白色圓點短裙的粉紅色大象，你會想像出什麼畫面？」

年輕人腦海中浮現出的，正是一隻粉紅色的大象，而且穿著紫白圓點相間的短裙。

「我明白你的意思了。」年輕人說，「不需要刻意去想，當我把『治療宣言』不斷地向自己重複強調後，我的潛意識就會認定自己的身體已經在漸漸康復。」

「完全正確！雖然一開始你可能覺得這太不可思議，但這的確能治癒疾病。而且，『治療宣言』重複愈多次，影響力就愈大，病癒的速度也愈快。

「首先發現『治療宣言』療效的是愛彌爾．庫耶博士；他要求病人盡可能每時每刻都去想一個很簡單、但是很有效的意念：『每天，在各方面，我都會愈來愈好。』遵循他指示的大多數病人的確也都恢復了健康。」

「所以，你運用『視覺創造力』和『治療宣言』恢復了健康？」年輕人問。

「嗯，我還做了很多努力。我全然改變了自己的生活形態：改善了飲食習慣、經常運動、堅持做深呼吸練習，我甚至改變生活的心態，學習欣然微笑，這些都幫助了我。我相信你會從比我更合適的人身上學到這些，但是我可以向你確認，讓我恢復健康最功不可沒的，就是『意念的力量』。運用意念的力量一年之後，我的腫瘤消失了，身體也完全康復了。於是我回到學校繼續研讀心理學，以幫助有需要的人。

「意念是一股非常強大的力量，可以引導我們的行為和態度，並且掌控身體裡的每一個器官、每一個細胞。我給你看樣東西。」她把一卷錄影帶放進錄放影機裡準備播放，並接著說道：「我做了一些真實的記錄，你將看到我的親眼見證。」

螢幕上出現的畫面讓人難以置信：許多人赤腳走過發紅的熱炭球。年輕人也在影片中認出了莎爾斯頓太太，她正走過熱炭球。

「這叫做『踰火體驗』。超過一百個人赤腳走過燃燒著的煤炭，溫度高達攝氏一千度，然而，卻沒有人感覺到任何疼痛，也沒有人因此燙出一個水泡。」

「這不可能！」年輕人大叫起來。

「相信我，這世界上不可能的事情很少。」她微笑著說道。

「可是……這些人是怎麼做到的？」

「意念的力量！」

影片繼續播出另一段鏡頭：一名孕婦躺在病床上，身旁有個男人正在跟她說話。片刻之後，孕婦顯得非常平靜，之後，一群戴著手術面罩的人依次進入病房。

「他們在幹什麼？」年輕人問。

「那個女人正準備接受凱薩式生產。」

「這種生產方式有什麼特別嗎？」

「這種方式的生產過程中不用麻醉劑，也不使用任何止痛藥，只靠產婦自己的意念控制疼痛。片中的這名產婦已經被催眠了，不過，還是意識清楚地知道所有事情的進行，但她不會感覺疼痛。」

影片中，一名醫生用手術刀切開她的腹部，鮮血汩汩流出傷口。幾分鐘之後，另一位醫生小心地將嬰兒托抱出來，然後將臍帶打結、剪斷。當嬰兒吸進第一口氣時，開始大聲啼哭。這位母親還處於催眠狀態，頭腦清醒，卻沒有任何疼痛或不舒服感。

「這真是太不可思議了！」年輕人看得目瞪口呆。

「看下去，還有。」

接下來的影片裡，出現一個皮膚上滿是潰爛傷口的小女孩。

「這女孩是罹患濕疹的一個特殊病例，各種藥物、藥膏，甚至抗生素對她都毫無療效。然而，經過六個星期密集的心理催眠治療之後，她的皮膚傷口全部癒合了。」

這時，螢幕上出現了六個月之後完全康復的女孩，明顯可見她的皮膚變得光滑、健康。

莎爾斯頓太太按下按鈕，停止了影片播放。

她說：「我想你應該開始抓到重點了吧?!你可以看到意念對身體有著舉足輕重的影響。《聖經》上說：『一個人，就是他心裡所想的樣子。』你的意念控制著你的身體，很多你認為不可能的事，譬如在熱煤炭上行走、消除疼痛和治療癌症等，只要你善用意念的力量，都會變得很容易。你只需要聚精會神，就可以激發出潛在的的信念力量。」

「什麼是潛在的信念力量？」年輕人不解地問。

「使你認為自己可以做到的信念，就是潛在的信念。如果沒有這種信念，影片中那些人能赤腳走過熱煤炭嗎？當然不能。治療疾病和保持健康，都需要匯聚所有的意念力量。」

「你就是用視覺創造力和治療宣言來集中你的意念？」年輕人試著問。

「對！你學得蠻快。意念的力量潛藏在體內，需要用技巧將之激發出來，而你可以運用視覺創造力和治療宣言。」

「那應該多久做一次呢？」年輕人問。

「你每天必須至少做三次，早上、中午和晚上各一次，當然次數愈多愈好，每次至少十五分鐘，用視覺創造的方法，讓你的意念去治療身體。而治療宣言則必須寫下來並且大聲唸出。你可以運用任何聽起來讓你對恢復健康信心十足的宣言，譬如：『我每天都比以前更容光煥發而健康。』『我是強壯、有力且健康的。』『如今我的身體同心協力、合作無間，為我的健康努力不懈。』或『我會愈來愈健康。』

「你甚至可以用意念來控制你的情感。但是，不管選擇什麼宣言，你必須每天大聲地說出來，愈頻繁愈好，至少要早、中、晚各一次。這樣比較容易讓『健康』的意念進入你的腦海。」

「今天向你學到的這些，真是太令人振奮了，我終於看到了挽救自己的一線希望。」年輕人說，「你能不能告訴我，那位叫我來找你的中國老人到底是誰？」

「我根本不知道他是誰，也不知道他來自何方。他一直沒有回來拿他預訂的書，而且說實話，我也覺得他不會來。我想那些書根本是他為我訂的，他希望能夠藉此指引我，在我需要的時候給予我信心。我唯一確定的是，他救了我一命，還教了我人生中最重要的一課。」

「最重要的一課是什麼？」年輕人問。

「意念的力量能讓你變得無所不能，能否抵抗疾病、恢復健康，關鍵就在於病人的信念。這是健康的第一個法則……選擇健康還是病痛，全仰賴於意念！」

莎爾斯頓太太說完，隨即從她身後的架子上拿出一塊金屬銘牌。她說：「這上面的字說明了一切。」

金屬銘牌上刻著：

相信自己能夠做到的人，必定能克服一切困難。

——湯瑪士．愛普森

這天晚上，年輕人拿出今天的筆記仔細重溫了一遍。今天，他學到了最不可思議的力量：

意念的力量

♣意念的力量可以克服一切困難，治癒所有疾病，幫助你常保健康。

♣你可以通過下列兩種方法，把意念集中在健康與治療上：

1. 視覺創造力。（例如：一天三次，每次至少花十五分鐘做視覺創造力練習）
2. 治療宣言。（重複唸出治療宣言，每天早上、中午、晚上各一次）

現在年輕人感到舒服多了，他覺得自己的身體已經開始漸漸恢復健康。接著，他從口袋拿出一張小卡片，大聲唸出寫在上面的治療宣言：「我會漸漸好起來。」

祕密2 呼吸的力量

兩天後，年輕人來到一座教堂的大廳，與名單上的第二個人見面——教授瑜珈課程的維琪．克夫特太太。克夫特太太一聽說中國老人，便十分熱誠地期待與年輕人相見。

瑜珈課程結束後，學生們陸續散去。年輕人馬上走過去，向克夫特太太自我介紹。

「很高興能見到你，」克夫特太太帶著微笑說，「是一位中國老人叫你來找我的？」

「是的。」年輕人答道，「雖然我連他的名字都不知道！」

「我自己也只見過他一次，」克夫特太太說，「那是好多年前的事了，我卻永生難忘。」

「為什麼？」年輕人問道。

「因為他救了我一命。」

年輕人驚訝地說：「他救了你一命？真的嗎？」

「我小時候就患有哮喘病，多年來也一直飽受慢性哮喘病的折磨，而且病情不斷惡化，常常讓我呼吸困難，必須使用呼吸輔助器才能減緩哮喘的症狀。年深日久，我的哮喘病愈來愈嚴重，也愈來愈依賴呼吸輔助器。我常常連上樓梯也會氣喘吁吁。

「有一天，我正走在路上，哮喘病突然狠狠地發作了。我幾乎無法呼吸，就焦急地推開身邊的人，想要呼吸空氣。我把呼吸輔助器拿出來，但這回它竟然失效，因為裡面的化學藥劑已經用完了。那一刻，我真的以為自己就要死了。

「後來，一位矮小的中國老人把他的手放在我背上。突然間，我的痛苦消失了。真是太奇怪了！我感覺到一股元氣湧上來，然後就能呼吸了。我的呼吸從沒這樣順暢過，效果甚至比使用呼吸輔助器還好。我問他為我做了什麼，他卻說他只是釋放了擠壓在我上背部的一股氣罷了。

「其實我並不明白他所說的意思，可是我知道他為我進行了一次神奇的治療。我不知道他的名字，也沒有再碰到他，但他卻是我的救命恩人。

「那天，等我回過神之後，他就坐在我旁邊的椅子上，告訴了我有關健康的法則，也就是我治癒哮喘病的方法。」

「你是怎麼治癒哮喘病的？」年輕人問。

「從飲食到紓解壓力的方法，以及運動的周期和形態，我徹底改變了自己的生活方式。健康的祕密中有十條法則，每一條都很重要，其中對我而言最重要的，就是呼吸的祕密。」

「那到底是什麼？」年輕人問道。

「生和死的差別，就在於人的一呼一吸間。深呼吸對人的健康有著重要的影響，要得到健康，必須先學會正確地呼吸。」

「可是，怎樣才算『正確』地呼吸呢？」年輕人疑惑不解地問，「呼吸不是每個人的本能嗎？」

「是的，呼吸是本能的、順其自然的過程。但現在許多人都已經失去了這項本能。當你整天坐在辦公室中吹著空調，極少運動，甚至從不運動，你的橫膈膜和胸肌很快就會萎縮，這會使你無法正確地呼吸。」

「為什麼正確呼吸這麼重要呢？」年輕人問。

「呼吸是維持生命的基本條件。人可以一個星期不進食、不喝水仍然活著，可是一旦呼吸停止，不消幾分鐘就會死去。

「這個道理人人都懂，卻鮮少有人會認真地深入思考。這正是自然療法最根本的關鍵所在。呼吸有助於身體吸收養分，因為氧氣是運送養分的媒介，負責把你吃下去的食物及養分往身體的其他部位運送。你可以吃世界上最好的食物、最昂貴和最有效的維他命、礦物質等營養品，但它們在被輸送到全身的每一個細胞裡之前，都是無用的東西。為了能夠有效地發揮運送效果，你必須正確地呼吸。」

「同時，呼吸還有其他益處，」克夫特太太說，「我們吸入的氧氣，可以提升精力。」

「這是什麼意思？」年輕人問。

「嗯，你見過火吧？」

「當然。」

「你對著火吹氣，會發生什麼情況？」

「火焰會增大。」

「而且……」

「火會燒得更旺？」

「對！」克夫特太太說，「火會燒得更旺！我們身體裡也會發生同樣的情況。當細胞在燃燒熱量時，氧氣會讓熱量燒得更旺盛，這不就提升了精力？」

「我明白了，呼吸幫助我們把養分運送到身體的各個部位，讓我們精力充沛。」

「對！你說到重點了。不過，呼吸還有其他的功用；呼吸不但控制著全身的氧氣輸送，還控制著身體的淋巴液輸送。」

「淋巴液？」年輕人不解地問。

「淋巴液是一種類似血液的液體，含有白血球，可以抵抗細菌和病毒，保護我們的身體。我們體內有許多淋巴液，事實上，淋巴液比血液多四倍以上。淋巴液在我們的身體裡運行，是身體的『污水處理系統』。

「淋巴液是這麼運作的：當心臟收縮，血液從主動脈流到細小的微血管中，從而把充滿養分的氧氣送到微血管；在微血管裡，養分和氧氣被散布到細胞周圍的淋巴液中；身體各部位的細胞汲取健康所需的養分和氧氣，並排出毒素；部分毒素根據身體所需，回流到微血管，但是，大多數的死細胞、血蛋白和其他有毒物質，會被淋巴系統清除掉。」

「原來是這樣，」年輕人說，「可是，淋巴系統是透過什麼方式進行運作呢？」

「問得好。淋巴系統的運作主要藉由兩種方式：運動和深呼吸。研究報告顯示，適當的有氧運動配合深呼吸運動，可以使淋巴系統的排毒速度加快十五倍。對了！光靠簡單的深呼吸和適量的運動，就可以將淋巴系統的排毒效率有效提升十五倍。」

年輕人聽了很驚訝，也擔心自己會忘記這麼重要的訊息，趕緊埋頭記錄。

「身體細胞透過淋巴液，排出過剩和有毒物質，」克夫特太太解釋說，「如果這些有毒廢物沒有被排出而積聚在體內，後果會很嚴重，就像如果你沒有定期倒乾淨家裡的垃圾桶，你覺得會有什麼後果？」

「一定會發出難聞的臭味。」

「沒錯。因為這樣不僅會滋生黴菌和真菌，也會招惹老鼠和蟑螂。」

年輕人點點頭。

「所以，當我們體內的有毒物質沒有及時被清除，也會發生一樣的情況——細菌繁殖、寄生蟲滋長、病毒侵入。這也是為什麼相較於一般人，運動員較少罹患慢性惡性疾病，譬如癌症、心臟病和糖尿病等的原因。其實，根據最新的醫學研究顯示，非運動員罹患這些疾病的機率是運動員的七倍。」

年輕人在筆記本上寫下更多重點。

克夫特太太繼續說：「正確的呼吸也有助於減緩疼痛，現在愈來愈多孕婦開始學習一種特別的呼吸方法，以減緩分娩時的疼痛。」

「學習正確地呼吸還有另外一個非常重要的益處，」她說，「就是對我們情緒的影響。深呼吸可以紓緩胸部的肌肉，對神經系統也有鎮靜效果。」

「所以，當人們感到緊張或激動的時候，會被建議透過做深呼吸以進行放鬆，道理就在於此，是嗎？」年輕人問。

「完全正確，」克夫特太太說，「我在教授瑜珈的時候經常很緊張，但透過做深呼吸練習，我馬上就感覺平靜而放鬆多了。再看看抽菸的人，並不是香菸使他們放鬆，而是深呼吸。可惜抽菸會損害健康，香菸中的毒素會損害人體肺部組織，使肺部充血。」

「這些聽起來都挺有道理的。」年輕人說道，「可是，我要怎麼學習正確地呼吸呢？」

「這個問題很好。」克夫特太太說，「答案也很簡單，你必須重新學習正確的呼吸方法。曾經有專家在美國加州進行了一項臨床研究，他們把攝影機放入人體內，以記錄哪一種呼吸方式最能有效促進淋巴液循環和血液循環。結果發現，最能有效活化身體、促進淋巴液循環的呼吸方法是：用一拍吸氣，停四拍，然後兩拍吐氣。因此，如果你花四秒吸氣，你必須憋住那口氣達十六秒之久，然後花八秒吐氣。用這種呼吸頻率做十次深呼吸——一拍吸氣、停四拍、兩拍吐氣。不要勉強自己，從三、四秒的吸氣開始，再慢慢增加。從腹部呼吸，想像你的胸部像個真空吸塵器，正把毒物吐出你的身體。」

「我懂了，」年輕人說，「可是為什麼吐氣必須比吸氣多兩倍時間？」

「因為吐氣的時候，正是淋巴系統清除毒物的時候。」

「那又為什麼，我必須用比吸氣多四倍的時間來憋住氣？」

「因為那是血液完全氧化、淋巴系統充分活化的時候。」

「這個呼吸運動要多久做一次？」年輕人問。

「至少要一天三次，早上、中午、晚上各一次。漸漸地，不用特別去想，你的肺就自然而然習慣做深呼吸了。正確、深沉、橫膈膜式的呼吸會再次成為你的本能。

「只要試著做這種簡單的運動，十天之內，你就會感覺自己變得精力旺盛、元氣十足。」

「我會的，謝謝你！這真是很棒的一次交談。」年輕人愉快地說。

「歡迎你隨時再來。」克夫特太太說，「把我所學會的教給別人，總是讓我獲益良多。」

當天晚上，年輕人仔細讀著自己的筆記：

呼吸的力量

- 生與死的差別，只在一呼一吸之間。
- 深呼吸有助於治癒疾病，促進血液和淋巴液循環；可以放鬆神經系統；協助我們提升精力；紓緩精神和情緒上的壓力；淨化、放鬆、安撫我們的身心。

♣分別於早上、中午、晚上，按照下面的指示練習：

盡可能舒服地吸氣；

以四倍於吸氣的時間憋住氣；

以兩倍的時間吐氣；

重複十次。

祕密3

運動的力量

名單上的第三個人叫做瑪莉・歐丹尼爾，年輕人與她相約第二天下午在市立公園裡的跑道旁見面。瑪莉・歐丹尼爾是大學田徑隊教練，臉龐清秀，見面時，她身穿翠綠色運動服裝、慢跑鞋。他們並肩坐在看台椅子上，向下俯瞰著跑道。

「我是在很多年前遇到中國老人的，」瑪莉說，「直到現在，當時的情景依然歷歷在目。那天正好是我被診斷確認患有多發性硬化症的日子，這種疾病會使整個中樞神經系統完全崩潰，嚴重損壞身體機能。

「醫生告訴我說，這種病是無法根治的，只能以藥物控制病情惡化的速度。我聽到這個消息時，簡直嚇呆了，對生命幾近絕望。那天下午，我就坐在這裡，一個人不停地流淚。

「當我抬起頭時，發現一位中國老人坐在我身旁的椅子上。我們開始攀談起來，話題很快就轉到自然療法和健康的祕密上。老人說的話都是我聞所未聞的，也給了我很多啟發。他離開之前，給了我一張紙條，並告訴我說，名單上的人可以幫助我，他還給了我一篇從健康雜誌上剪下來的文章，說我也許會有興趣。

「那篇文章不只有趣，還簡直令我難以置信——是專門探討多發性硬化症的一篇文章。」

「這有什麼不敢相信？」年輕人不解地問。

「因為我並沒有跟他提起我罹患了這種病啊！我也很少跟別人說到我的健康問題。

「那篇文章提到好幾個從這種疾病中康復的人。我非常興奮，因此重新燃起了生活的希望。我想，既然他們都可以戰勝病魔，我也一定可以。非常幸運地，我最後終於把病情控制住了，沒有繼續惡化，直到現在我還可以走路。」

「你是怎麼做到的呢？」年輕人問。

「方法很多，包括調節飲食、調整心態，以及加強身體鍛鍊。我學會了關於健康的祕密，並且馬上學以致用，其中對我的健康具有舉足輕重作用的，就是有氧運動。」

「你說的『有氧運動』指的是什麼？」年輕人好奇地問道。

「運動是需要能量的，有氧運動是指『能量來自細胞內的有氧代謝（氧化反應）運動』。有氧運動能夠有效地鍛鍊心、肺等器官，增強、改善我們的心肺功能，譬如競走、跑步、騎自行車、游泳等都是對身心有益的有氧運動。現在，我每天都堅持競走和游泳。開始的時候很困難，我的腿像鉛塊一樣沉重。經過一段長時間的持續鍛鍊，我的腿才漸漸強壯起來；幾個月之後，形勢更加好轉，我幾乎可以跑步了。

「後來，我開始堅持每天進行規律的跑步鍛鍊。我規定自己連續在跑道上跑八圈。到了第八圈，我的腿就會疲憊不堪，無力再跑下去。因此，第九圈對我而言似乎永遠遙不可及，我也一直無法跑完。有一天，我決定必須突破這個瓶頸，竭盡全力跑完九圈。

「我緩慢地跑著，腿愈來愈沉，到了第八圈時，我已經筋疲力盡了。我感覺雙腿非常虛弱無力，但仍然勉強地向第九圈邁進。突然，我感到無法再多走一步了。就在我準備放棄時，身後突然傳來一個聲音：『繼續！你可以的。加油！不要放棄！』

「我回頭一望，原來是那位中國老人。他微笑著看著我，說：『繼續！快到了。』

「中國老人在我最需要激勵的時候鼓勵我，並且陪我跑完我一直想要突破的第九圈。我不但做到了，健康狀況從此也有了很大的好轉。

「跑到第九圈時，我開始大汗淋漓，汗腺就如崩裂的水閥，汗水傾瀉而出。這是我有生以來第一次體驗到汗流浹背的感覺。從此以後，我跑得更快、更穩了。這是我人生的一大突破，也是我復原過程中最重要的一步。」

「你的意思是說，運動在你復原的過程中功不可沒？」年輕人一邊記筆記，一邊問道。

「是的。」瑪莉說，「為了克服心理障礙，重新找回恢復健康的自信，我必須超越自己的極限，跑完第九圈。對大多數人而言，持續有規律地做有氧運動，就可以強身健體。」

此時，一個中年男子疾步走向他們。「早啊！瑪莉！」他說。

「嗨！史坦！今天好嗎？」

「喔！再好不過了。」他回答。

「你一定不相信，他去年得了心臟病。」女人對年輕人說。

「心臟病！你是說真的嗎？」年輕人說。

「當然。規律的運動也救了他一命。你看，定時定量的有氧運動，譬如跑步、走路、游泳和騎自行車，會降低血壓，也會減低血漿中的膽固醇。」

年輕人低頭記錄重點，瑪莉繼續說：「你看那位慢跑的女士。」瑪莉指著一個嬌小、穿著運動服的女人說：「她患有關節炎，膝蓋和臀部長年累月疼痛。但自從持續每天運動後，她的疼痛就消失了。

「因為運動可以提高身體各關節的活動能力及靈活性，有效防治關節炎，讓骨骼保持健康。反之，缺少運動會導致肌肉萎縮、骨骼中的鈣質流失，造成骨骼疏鬆。

「很多人長久不運動或缺少運動，後果非常嚴重。你知道嗎？如果把手綁起來三天不活動，手部肌肉就會漸漸萎縮，從而導致手部機能喪失或弱化。」

「真的嗎？」

「有句話說：『如果你不用它，你就失去它了！』長期不運動，體能就會下降、身體也會虛弱。運動讓我們得到健康和力量，這就是健康的第三個原則。」

年輕人很吃驚，他從沒想過運動對健康而言如此重要！這些年來他一直很少運動，難怪身體如此虛弱。

「運動對我們的心理健康也很重要，」瑪莉繼續說，「我們的情緒會受到動作與行為的影響。臨床實驗已經證明，運動有助於人們消除部分精神困擾，比如緊張和沮喪。你一定有過這種經驗：當你覺得悶悶不樂時，站起來做些體力活動，沮喪的情緒便不知不覺消散了。很多人不知道，缺少運動很容易導致性格變得內向、緊張、過於敏感。」

「我同意，但為什麼會這樣呢？」年輕人問。

「很簡單，」瑪莉解釋道，「首先，運動會讓你的大腦釋放出一種類似嗎啡的化學物質，會使人產生愉悅感。很多運動員在訓練之後會感覺充滿幹勁和活力，有人稱此為『運動員高潮』。

「其次，運動可以安撫情緒。情緒會隨著身體所處的狀態而改變，譬如我們走路、坐立的姿勢，甚至呼吸的動作，這些身體的所有外在動作都會影響我們的心理狀態。而規律的有氧運動正是驅除生理或心理疾病的第一步，也是維持健康的基本條件。」

年輕人問道：「那麼哪種運動方式最好？每天要做多久的運動才算合適呢？」

「只要是你感興趣、可以讓你出汗以及呼吸加快的運動都可以，例如競走、慢跑、游泳、騎自行車甚至跳舞，都是很好的運動方式。必須注意的是，運動前一定要做熱身運動，以擴展關節的活動範圍，改善身體的協調性。但不要去『拉扯』、『撕裂』肌肉，也不可以猛力扭轉關節。」

「要怎樣熱身呢？」年輕人問。

「有一個簡單的方法，就是嘗試伸展、扭轉每一寸肌肉和各個關節，每次持續七秒鐘，每個部位都要重複幾次。你可以用左右對稱的方式來做，這樣你就會記得做完左邊，還有右邊。」

年輕人一邊低頭記錄，一邊問道：「還有什麼要注意的嗎？」

「還有一點很重要，即運動量不能超過身體負荷，必須循序漸進，逐步增加運動量。超負荷運動很容易造成肌肉受傷。」

「我懂了！」年輕人又認真地問，「那麼，要有健康的身體，多少運動量才合適呢？」

「這個問題很好！」瑪莉答道，「通常一天必須要運動三十至六十分鐘，我保證十天之內你就可以感覺煥然一新。我相信運動對健康的益處絕對會讓你震驚，就像我當初的感覺一樣。」

「聽起來很棒！」年輕人高興地說，「我今天就要開始運動。」

「祝你好運！記得隨時告訴我進展如何。」瑪莉笑著說。

「好！我會的。」年輕人說，「謝謝你。我知道運動很重要，可是，直到今天我才真正『瞭解』運動有多麼重要。啊！對了，當你跑完第九圈的時候，中國老人有對你說什麼嗎？」

「沒有，當我跑完第九圈，回頭想感謝他時，他已經離開了。不過，我相信他瞭解我的心意。」瑪莉說。

「為什麼？」年輕人問。

「因為我經常接到一些像你一樣的人的求助電話。」瑪莉笑著對他說。

年輕人輕鬆地離去，瑪莉開始她的伸展熱身運動。當年輕人走到公園的門口，他轉過身，回望那位曾經雙腿硬化的女人，她正輕鬆優雅地在跑道上跑著。

年輕人讀著今天做的筆記，對於自己恢復健康充滿了力量與信心：

運動的力量

- 規律的身體運動可以促進循環、增強心肺功能，有助於驅除各種生理和心理的疾病，是維持健康的第一步。
- 做一種你感興趣的運動，使自己出汗、心跳加速、呼吸加快。
- 運動前一定要先熱身，但不要勉強，避免讓自己負荷過大。
- 每天至少運動三十分鐘。

祕密4
營養的力量

兩天後，年輕人來到市中心一家很受歡迎，名為「鄉村味」的小餐廳。這家餐廳的老闆正是名單上的第四個人：愛德華・傑斯特先生。

傑斯特先生受到很多人尊崇，在本市很有名氣；他非常熱愛工作，常常對他的工作付出高度的熱忱。他是個充滿使命感的人，並且精力旺盛。每個星期三晚上他還會教授烹飪課，希望教會人們方便快捷地準備既可口又健康的食物。

「你的電話讓我想起了過去，」傑斯特老先生對年輕人說，「那段回憶太美好了！……大約三十年前，我五十五歲……」

「你是在跟我開玩笑吧？」年輕人驚訝地打斷了他的話，並且叫了起來，「你是說……你已經八十五歲了？」

「是啊！我是八十幾歲啦！」

「天啊！你看起來絕不超過五十歲呢！」

「謝謝！」傑斯特老先生微笑著說，「我給你看樣東西。」他拿出一張黑白照片遞給年輕人。

「這是誰？」年輕人問道。

「你說呢？」

「我不知道啊！不過，他看起來一副病懨懨的。」

照片上是一個高大的中年男人，身體臃腫，臉色暗沉，還有明顯的黑眼圈。即使不是醫生，也可以看出照片中的這個人很不健康。

「這是我。」傑斯特先生坦承。

「別開玩笑了！」年輕人驚歎。

「我沒有開玩笑，那真的是我。三十年前的我，和現在看起來相去甚遠。」

「你當時怎麼了？」年輕人問。

「我有糖尿病。」傑斯特先生答道。

「糖尿病不是無法根治的嗎？」年輕人看著眼前的傑斯特先生，不敢相信他曾得過糖尿病。

「那是人們的誤解，實際上並非這樣。我以前曾經患上的不治之症，現在基本上都痊癒了。而且，我都沒有服用藥物，只是藉由自然的方式去治療，同時改變我的生活形態。」

年輕人回想起前幾天他所遇到的那些人，在談到健康法則的時候，無一例外地，也都提到改變生活形態的問題。

傑斯特老先生繼續說：「當時，其實我還有高血壓、胃潰瘍和消化不良等疾病。醫生讓我服用一些具有綜合療效的藥物和膠囊。這些藥剛開始服用時，療效明顯，可是幾個星期後，便開始產生副作用——我開始頭痛、暈眩，皮膚也長出小紅疹子。

「如此下來，我的健康狀況不但不見起色，還不斷惡化。直到有一天我遇到一位老人，他改變了我的一生。」

「我想是一位中國老人吧？」年輕人插話說。

「對！沒錯。」傑斯特先生笑著說。

「然後呢？」

「說來也奇怪。當時我的工作壓力很大，根本沒有時間外出吃午餐。有一天，我覺得心情煩躁，便走到辦公室對街的一家速食店吃東西。正當我坐在角落裡吃著乳酪漢堡和薯條時，一位中國老紳士走過來，問可不可以跟我坐在一起。

「他坐下來後，便開始吃他的沙拉和烤馬鈴薯。我們嘻嘻哈哈說了一些玩笑話之後，他突然看著我的眼睛，一本正經地跟我說，我吃的食物對我有害無益。我原以為他在跟我開玩笑，便說了些跟食物有關的笑話回應他。可是，最終他說了句讓我很震驚的話──他說，我吃的這些食物會導致我的胃潰瘍進一步惡化！」

「這有什麼好震驚的呢？」年輕人問。

「我根本沒有跟他提我胃潰瘍的事啊！我問他怎麼會知道我有胃潰瘍？他說從我的眼睛就可以看出來了。」

「真的？」年輕人問道。

「是啊！我知道這聽起來讓人難以置信。當時我也十分驚訝，於是問他還『看到』了什麼。你相信嗎？他竟然告訴我說，我的膽固醇太高、胰臟不好。

「我又問他，如果這些食物會傷害我，那我應該吃什麼呢？他就告訴我關於健康的法則。他很耐心地跟我解釋，健康地生活，才能活出真正的健康，而我們就必須遵循十項健康的法則。只有這樣，才能常保健康，否則，很容易因此引發疾病。

「這十項健康法則缺一不可，但對我最有幫助的一項，就是營養的力量——『吃什麼、何時吃，以及怎麼吃，造就了你的健康。』

「我從『吃什麼、何時吃、怎麼吃』三方面下手，改善了自己的飲食習慣。你相信嗎？六個星期之後，我的膽固醇降到正常指數，胃潰瘍也不再復發，心悸的症狀也消失了。最不可思議的是，我的糖尿病竟然治癒了！」

「這的確不可思議。」年輕人說。

「可不是嗎？」傑斯特先生說，「我曾經看過一篇醫學臨床實驗報導，文中提到，患有糖尿病的成年人在持續食用低脂肪、高纖維的食物至八個星期後，百分之七十五的病人會痊癒！

「我想，健康的飲食習慣絕對可以幫助每個人驅除疾病，保有健康身心。為此，我決定透徹地學習營養法則。我所學到的關於健康的飲食療法，可以簡單地歸納成六條規則。」

年輕人聽得更加專注，在傑斯特說話的時候，不停地記著筆記。

「第一個原則是，選擇完整、新鮮而未經加工的食物。攝取營養就像蓋房子，你的房子用什麼材料建蓋而成，看起來就會是什麼樣子，對不對？」

年輕人點點頭，不過他不太清楚「未加工」和「加工」食品的不同。

傑斯特先生解釋道：「加工過的食物所含的營養全都會被破壞，譬如白麵包、白糖，甚至一包包的早餐麥片。大部分的維他命、礦物質及其他有營養的物質都在加工過程中被去除或毀壞掉了，而這些食物通常只剩下糖分和澱粉。」

「可是我一向都吃白麵包和早餐麥片粥，包裝上也都注明說是『營養且富含多種維他命和礦物質』。」年輕人辯解著。

「那只是誇大的廣告詞而已。食品工廠實際上怎麼做呢？他們會把一百種營養物質抽取出來，再注入五種人工維他命。我很難同意這是『營養且富含多種……』」

「不過，糖分和澱粉也對人體無害，」年輕說，「還可以為我們提供能量。」

「嗯！糖分和澱粉是提升精力的必需品，但其他很多營養成分也是啊！譬如鈣、鋅、鐵和其他多種礦物質和維他命，但這些營養元素都在食物的加工過程中缺失了，身體因此必須從骨骼和組織中汲取所需的營養物質。長期下來，身體中儲存的許多基本礦物質和維他命就漸漸枯竭了。『加工』食物事實上搶奪了你身體中不可缺少的資源。」

「那我們應該吃『未加工』食物，又是什麼道理呢？」

「新鮮的水果和蔬菜，以及各種穀類，譬如糙米、全麥、大麥、燕麥、小米和裸麥等，還有豆類、堅果和種子等，這些都是為身體提供基本營養的健康食物，含有蛋白質、碳水化合物、維他命、礦物質和脂肪酸。當然！如果可能的話，有機生長的食物是最好的。」

「什麼是『有機生長』的食物？」年輕人好奇地問。

「就是沒有使用任何化學肥料或方法種植出來的食物。所有種植經濟農作物所使用的化學物質，都是有毒的。有機食物是自然生長的，不殘留任何化學物質，營養價值也比較高。

「健康飲食的第二個原則是，沒有好的消化，就無法得到好的營養。記住，重點不只是我們吃下什麼，還有何時吃，以及如何吃！」

「這到底是什麼意思呢？」年輕人問。

「如果消化不良，即使吃再多的食物也白費。而保證消化良好的唯一方法，就是在合適的時間吃，以及用正確的態度吃。比方說，如果不細細咀嚼食物，你就很難保證消化良好。同樣，在生氣、疲倦或忙碌時進食，你的身體也無法有效率地消化並吸收。

「很多人吃飯時狼吞虎嚥，在工作間隙匆匆忙忙地進食，最後還疑惑自己為什麼會消化不良。進食時應放鬆身心，盡情享受食物的美味。細嚼慢嚥有利於增加唾液和胃酸分泌，促進消化，幫助你消化分解碳水化合物、穀類等。不過，對於促進消化，最重要的還是進食時間。」

「進食的時間跟消化有什麼關係呢？」年輕人疑惑地問。

「自然界中萬事萬物都跟時間有關，」傑斯特先生解釋道，「從太陽的升起、落下，到一朵鬱金香的開放，每個事物都有屬於自己的時間，人當然也不例外。我們的生物時鐘比自己想像的還要精確，而進食的時間，決定我們是否能消化良好。

「身體的新陳代謝率，即身體把食物轉變成能量的時間比例，晚上比早上低很多，這表示晚上燃燒的卡路里較少。這也是為什麼當你在晚上吃下大量食物，會比在早上吃大量的食物更容易發胖。

「如果吃得太晚，就很難得到優質的睡眠，也會導致你在早晨起床時感到疲倦。」

「為什麼呢？」年輕人問。

「如果吃得太晚，大腦和消化系統都必須整夜工作而無法得到休息，因為它們要製造出消化所必須的酵素和消化液。」

年輕人想了想，又問：「還有其他不適合進食的時間嗎？」

「有，當你很疲倦或壓力太大的時候，也不適合進食，因為這時候消化系統通常無法良好運作，會影響消化。」

年輕人埋頭記錄，傑斯特先生繼續說：「健康飲食的第三個原則就是，永遠不要吃太飽。記住！當你吃的時候——多一點就已經太多了。吃下大量的食物遠比吃少量食物容易多了，可是你要知道，一個健康的胃大約只有你的拳頭大小，當我們吃下太多食物，會把胃拉扯得過大，而且把它塞得滿滿的，會讓消化過程受到很大阻礙，就好像加了太多煤炭，沒有留些空氣助燃，反而會阻礙燃燒。

「更重要的是，過量的卡路里會製造多餘的脂肪，會讓我們的心臟和關節負荷過大。這也是為什麼吃得少的人比較長壽的原因。有句話說：『吃到你覺得肚子只滿了一半，喝到口渴只解了一半，你肯定會健康長壽。』

「第四個原則就是，吃下去的食物必須有百分之七十是水分充足的，例如新鮮蔬果、穀類或豆類的苗芽；另外的百分之三十才是澱粉、蛋白質和脂肪。這好像有點奇怪是不是？你要知道，西方人一般都吃少量的含水食物，卻攝取很多澱粉和蛋白質——也就是很多肉類、麵包、馬鈴薯和一點點蔬菜。所以一般的西方人都會疾病纏身，三分之一的人得了癌症，二分之一的人有心臟方面的疾病。你想想看，地球表面有百分之七十是水，人體內也有百分之七十是水。你不覺得我們理所當然要吸收同樣比例的水分嗎？」

「我們不能只是多喝一點水嗎？」年輕人問道。

「這點倒是很重要。」傑斯特先生說，「大部分人攝取的水並不是非常純淨，可能含有氯、氟、軟性金屬和其他有毒的物質元素。事實上，我們常常餓了才去進食，渴了才去喝水，因此，你不可能在饑渴難耐時，還去過濾、淨化水質。所以，如果我們主要吃富含水分的食物，就可以吸收既乾淨又營養的水分了。

「當我們攝取的水分不足時，體內的血液會變得過於濃稠，而那些有毒的垃圾就無法被有效地清除掉。」

年輕人頓時陷入沉思，他開始計算自己平常吃了多少富含水分的食物。答案令他詫異——非常、非常少。他通常幾乎都吃肉類、馬鈴薯、麵包和奶油，再加上一點煮得半生不熟的蔬菜。

「健康飲食的第五條原則，」傑斯特先生打斷他的思考，繼續說道，「這點非常重要喔！要避免五個『細胞終結者』。」

「細胞終結者？是什麼東西？」年輕人誇張地喊道。

「細胞終結者就是有害健康的食物，它們會破壞身體的細胞。我們必須盡可能避免吃這類食物，吃得愈少，對身體愈有利。我跟你解釋為什麼。

「第一個『細胞終結者』是加工糖。糖會輕易地毀掉你的牙齒，更嚴重的是，它會耗盡身體的一些重要能量，也會損壞免疫系統。六茶匙的糖就會減少人體內百分之二十五的白血球數量，白血球可是跟細菌戰鬥的勇士啊！你吃下愈多的糖，就會消滅愈多的勇士。

「你要留意，糖經常被加工為各種各樣的食物，譬如糖果、巧克力、冷飲、糕點和餅乾，甚至罐頭水果、蔬菜中也加了糖。

「第二個『細胞終結者』是肉類。一些研究報告已經多次警告說，引發慢性惡化疾病的主要禍首就是肉類。我們現在所吃到的肉類，幾乎都來自飼養工廠，也就是說，這些動物是『工廠』的產物：被關在小籠子裡養殖，從來沒有在開放的牧場中被放牧，也從來沒見過日出日落，甚至被注射抗生素以防止疾病傳播，餵食荷爾蒙……如果我說，這種『工廠肉』囤積了一堆各式各樣的毒素，你不會懷疑吧？」

年輕人問道：「那蔬菜水果呢？它們不是也被噴灑了很多危險的化學藥物嗎？」

傑斯特先生笑著說：「沒錯！沒錯！可是跟被污染的肉類相比，還算是非常少量的。曾有一位挪威教授把橄欖菜和雞肉放在一起做比較，結果發現，雞肉中所含的毒素比橄欖菜多出一千萬倍。

「有機蔬果是在沒有化學污染的環境中生長的，當然對身體非常有益！因為它們是自然生長的，不殘留任何化學成分，營養價值也比較高。不過，即使是用化學方法種植的蔬果，所含的毒素也遠比肉類少。」

「那如果是『有機』肉類呢？」年輕人追問。

「那肯定比工廠肉類好，不過還是有損健康。肉類基本上不是健康食物，因為肉類含有非常高的飽和脂肪，會致使紅血球黏在一起，阻塞動脈。大多數心血管疾病都是因為平常從肉類、巧克力等食物中攝取過量的脂肪而引起的。」

「我還以為肉類對健康很有益呢！」年輕人接著又問，「我們不是需要肉類來提供熱量嗎？」

「事實正好相反。」傑斯特先生耐心地解釋，「我們的身體需要燃燒碳水化合物以產生熱量，可是肉類中的碳水化合物很少，卻含有很多的脂肪和蛋白質。過量的蛋白質在體內會產生過量的氮，使人產生疲倦感。」

「可是，我也聽說身體需要大量肉類來強化骨骼。」年輕人說。

「不！正好相反。」傑斯特先生搖搖頭說，「肉食者的骨骼通常比較脆弱，因為肉類含有很多尿酸，尿酸才是可怕的毒素！我們的身體一天只能排除大約八毫克的尿酸，可是一份四分之一磅的牛肉漢堡，卻含有十六毫克尿酸。這些多餘的尿酸會侵蝕關節和肌腱，還會吸取骨骼中的鈣質，引發關節炎等疾病。」

「那鐵質呢？」年輕人窮追不捨地問，「如果不吃肉，我們怎樣補充鐵質呢？」

「綠色的蔬菜本身就含有豐富的鐵質，穀類和豆類的鐵質含量也很高，例如扁豆、菠菜、花椰菜、乾杏仁果等食物的鐵含量比牛肉更高；一杯糙米的鐵含量，也比四分之一磅的漢堡更高。人們常有一種誤解，認為素食者比一般人容易貧血。事實上，只要對營養學有所瞭解，就會知道這種說法並不正確。最近有份醫學報告還指出，心臟疾病可能跟鐵含量過高有關。」

「那魚肉為什麼也不好？」年輕人問，「我一直以為海鮮是很不錯的營養食物。」

「魚肉比其他肉類要好些，不過也不算健康的食物。因為現在海洋已經受到了很嚴重的污染，從政府發布的調查報告指出，幾乎半數的魚類都產生了細胞變異。而養殖場所飼養的魚，就像工廠肉類一樣，都餵食抗生素，藉以控制疾病傳播，並透過餵食激素縮短養殖週期，還使用化學染劑讓它們保持新鮮的色澤。

「魚肉曾被認為是有益健康的食物，因為魚肉含有某種基本脂肪酸，可防治心臟疾病及關節炎，但魚類已經遭受過度污染；而有些蔬菜中也含有這類脂肪酸，含量甚至比魚肉還豐富。

「然而不管是魚還是雞鴨牛豬，這些都不是人類的自然食物。人類是草食性動物，草食性動物的雙頷可以垂直及橫向移動，使牙齒旋轉摩擦；肉食性動物的頷部只能上下移動，牙齒只適合切割和撕扯，而不是摩擦。

「素食動物基本上都有超過二十二尺長的腸子，而肉食性動物的腸子只有大約三尺，這是為了讓食物在腐敗前可以很快排出體外。所以，大部分人類學家都同意，人類的祖先應該是吃果子的靈長類動物。我們所需的一切營養，都可以從素食中獲得。

「在我那個年代，素食者經常被認為是思想怪誕的人。但這其實是媒體塑造出來的刻板印象，因為，你知道這些所謂思想怪誕的人是誰嗎？他們是歷史上的大思想家、哲學家，從古希臘的蘇格拉底、畢達哥拉斯和柏拉圖，到近代的大人物，像達文西、梭羅、愛因斯坦、牛頓、富蘭克林、蕭伯納、托爾斯泰、威爾斯、馬克吐溫、伏爾泰和甘地。哇！思想怪誕的人還真不少喔！而且你別忘了，他們都挺長壽的。」

年輕人忙著低頭寫下重點，傑斯特先生繼續說道：「細胞的第三個終結者是乳製品，包括所有的牛奶、乳酪、奶油和牛油。人類是地球上唯一會喝非同類奶水的動物，也是唯一過了幼兒期還需要喝奶的動物。」

「這些乳製品有什麼不好呢？」年輕人擔憂地問。他開始擔心，這樣說下去，還有什麼東西是可以吃的，大概只剩下萵苣葉和胡蘿蔔了。

「乳製品對小牛不錯，可是對人就不好了。有百分之二十的人無法自己生產乳酸，因此也無法自己分解牛奶中的糖分——乳糖。同時，據估計，大約有五分之四的人對食物中的酪蛋白有過敏反應。

「乳製品是你所吃到最具毀滅性的一種食物，它們會在人體內製造出大量的黏液，而這種黏液在腸胃之間會形成一層障礙，影響營養的吸收。這種黏液也會在肺部積聚，容易導致呼吸器官的疾病，包括支氣管炎和哮喘病。

「乳製品還含有大量的脂肪，會引發心臟方面的疾病。」

「可是我們不是需要乳製品中的鈣質嗎？」年輕人不解地問。

「不！」傑斯特先生解釋著，「你沒看過有研究報告指出，大部分攝取大量乳製品的人也都缺鈣嗎？挪威人是全世界乳製品消耗量最大的國家之一，但也是全世界國民骨骼疏鬆症罹患率最高的幾個國家之一。

「相較之下，非洲班圖人的乳製品攝取量比西方人少四分之一，但他們卻很少因為缺鈣而生病，也很少骨折或掉牙齒。這完全得益於他們低蛋白質的飲食習慣，因而避免了鈣質從體內流失。

「若乳製品中的鈣質無法被完全吸收，而在關節附近囤積，就會導致關節炎；在動脈壁囤積，則會引起動脈硬化。你想想看，乳牛基本上是吃草的，那實際上不含鈣質，但它的奶水卻富含大量的鈣質。

「同理，人們也可以從蔬菜和穀類中獲得所需的鈣質。一杯榨碎的花椰菜汁所含鈣質比一杯牛奶還要多。

「第四個細胞終結者就是精鹽或氯化鈉。」

「鹽有什麼不好嗎？我一直以為人體是需要鈉的。」年輕人糊塗了。

「人體的確需要鈉，它使我們維持健康的體液平衡，增強肌肉的力量，幫助神經系統正常運作，維持血液和尿液中正常的酸鹼質平衡。但是，我們可以從多種蔬菜水果中獲得鈉，譬如番茄、芹菜、菠菜、橄欖、胡蘿蔔，甚至草莓，我們身體所需的鈉都可以從這些食物裡攝取。

「但吸取過量的鈉也是對身體有害的。大多數人都從精鹽中吸取了過多的鈉，比方說，你的身體每天大約需要三千毫克的鈉——這取決於你的生活形態，因為你可能會因為流汗流失了大量的鈉。但你聽了下面的數字肯定會嚇一大跳：一茶匙的鹽就含有大約兩千毫克的鈉！

「如果除了食用精鹽，還經常食用鈉含量很高的罐頭食品和加工食品，體內鈉的攝入量就可能會比正常的身體需求多出四至五倍。

「精鹽是一種無機鈉，經過漂白和加工，會刺激腸胃，阻礙其他食物的消化。如果你實在非吃鹽不可，我建議你選擇海鹽。海鹽沒有經過漂白或加工，而且含有身體所需的多種礦物質和微量元素。

「不過還是要記得，過量的鈉會抑制氧氣進入細胞，也可能引發高血壓。心臟、腎臟和肝臟方面有問題的病人，都會被醫師強迫降低鈉的攝取量。所以，你不覺得應該在馬兒跑出來之前，先把門拴上嗎？」

年輕人點頭同意，傑斯特先生繼續說道：「第五個細胞終結者是茶、咖啡和酒。」

年輕人馬上接話道：「這我知道，喝太多酒有害健康，因為酒精會傷害肝臟和腎臟。可是喝茶和咖啡的後果有這麼嚴重嗎？」

「茶、咖啡、酒都是刺激性飲料，對身體當然有害。茶和咖啡都含有咖啡因，兩杯茶或咖啡的咖啡因含量就足以對大腦產生刺激作用，並使血糖升高。剛開始你可能會覺得有提神作用，但很快你會因為血糖下降而感覺愈來愈疲倦。

「你有沒有注意到，當你喝了幾杯茶和咖啡之後，會變得比較緊張，心跳也會加快？有時，還會讓你的雙手顫抖。」

年輕人點點頭，他記得有天晚上為了提神，喝下四杯咖啡，後來他發現自己的手竟然微微顫抖。

傑斯特先生繼續說：「咖啡因不只刺激神經系統，促使血糖增多，還會使血壓上升，損壞腸胃，傷害腎臟，燃盡體內儲存的維他命B。

「有一個研究學者曾指出，咖啡因是導致過敏反應的主要因素，包括失眠、頭痛、神經質、焦躁和皮膚過敏。茶還含有另一種叫做『丹寧』的藥物成分，會阻礙身體對鐵質的吸收而導致貧血。

「少量的茶和咖啡對身體沒有大害，但如果喝多了，譬如一天超過兩杯，那就真的有害健康了。」

年輕人仔細地思量著這五條飲食健康法則，他痛苦地發現，以前自己簡直每天都在毒害自己，難怪會生病。同時，他也感到沮喪。

年輕人對傑斯特先生說：「我完全明白你所說的，可是這也不能吃，那也不能吃，我們到底還剩下什麼東西可以吃？和橄欖菜葉沙拉共度餘生似乎有點悲慘，不是嗎？」「喔！有營養的健康食物並非不好吃！說不定還是你所能想像的最可口食物。來！我帶你看一些東西。」

他們走到餐廳的中央，那兒鋪排了一些顏色鮮麗的菜餚，其中一張桌子上有兩種湯：花椰濃湯和馬鈴薯青蔥湯，旁邊還有五種新鮮烘焙的麵包。年輕人看得出那是用黑麥和全麥做的，他還第一次見到了小米麵包和黑麵包。另外，還有各式各樣看起來色香味俱全的菜餚。年輕人彎下腰，仔細閱讀每道菜餚的標示牌：糙米炒黑芝麻、小米丸子、甜馬鈴薯拌小黃瓜、酸甜什錦菜、匈牙利燉菜，還有一些烤蔬菜和沙拉之類。

另一張桌子上是一碗碗的乾果和切好的新鮮水果，甚至還有好幾種非乳製品的「奶油」——杏仁和草莓，藍莓和榛果，以及一種看起來像巧克力，事實上是用黑橄欖做成的醬汁。

「我從來沒見過餐廳有這麼多的午餐選擇！」年輕人驚訝地說。

「謝謝！我們致力於滿足每一位顧客的口味。」傑斯特先生笑著說。

年輕人選擇了小米麵包、米飯和匈牙利燉菜，以及一小碗湯，然後走回座位。

年輕人吃了兩口之後，傑斯特先生細心地問道：「覺得怎麼樣？你喜歡嗎？」

「喔！太棒了！真的很好吃！」年輕人興奮地說。

「這些可都是非常健康而有營養的食物。」傑斯特先生向他保證。

他們一起享用午餐。年輕人品嚐了每一道菜，他已經好久沒有吃過這麼美味的食物了，更是他經常吃的漢堡、薯條所無法比擬的。他也決定了，以後要多注意自己的飲食，為身體提供最好的營養。

午餐過後，年輕人把筆記整理出以下的重點：

營養的力量

♣如果沒有源源不斷的營養，就不會有源源不斷的健康：你吃什麼、何時吃，以及怎麼吃，造就了你的健康。

♣營養的五條準則：

1. 攝取營養就像建蓋一間房子，應選擇完整的、新鮮的、未加工的有機食物。
2. 好的營養還要依賴好的消化來吸收，因此，應細嚼慢嚥，吃的時候身心放鬆，晚上不要太晚進食。
3. 多一點就已經太多了！不要吃太飽。
4. 確認我們所吃的食物中，有百分之七十是富含水分的。
5. 避免食用細胞終結者：糖、肉、乳製品、精鹽、茶、咖啡和酒。

祕密5 歡笑的力量

名單上的第五個人，是一位叫做尼爾．柯林斯的年輕記者；他有一張很和善的臉，微笑的眼眸洋溢著熱情的光彩。而這神情是年輕人之前拜訪過的人所共有的，讓他感覺很熟悉。

「那位中國老人真的很特別，對吧？」柯林斯先生對年輕人說，「你知道嗎？他給了我一種神奇的藥，挽救了我的性命。」

「神奇的藥？」年輕人驚訝地說，「可是，那老人跟我說，很少藥丸真的能救命。」

「喔！這種藥不是裝在藥罐裡，很少醫生會開這種藥，在藥房裡也很難買到。」

年輕人好奇地想知道，這記者說的到底是什麼東西？

柯林斯先生繼續說：「雖然這種藥已經被傳誦超過三千年了，可是到最近才又被重視，證明它不只在治療疾病上非常重要，在維持健康方面也很重要。這個藥方很簡單，任何人、任何地方、任何時間都有……」

「到底是什麼藥？」年輕人迫不及待地問。

「大笑！」

年輕人露出十分懷疑的表情，柯林斯先生開懷大笑起來。

「你在開玩笑？對吧?!」年輕人故作輕鬆地說。

「喔！不！我不是開玩笑。」柯林斯先生收起笑容，認真地說，「我告訴你一個故事。大約十年前，我因為脊關節有毛病，躺在醫院不能走路。當時情況真的很慘，我脊椎附近的組織受到壓迫，坐也不是，躺也不是。整天痛得要命，情況很不樂觀。醫生告訴我說，這種病復原的機率低於五百分之一。

「我的狀況愈來愈糟，止痛藥都已經失效了，可是疼痛一刻也沒有停止過，我不知道自己還能撐多久。我變得很沮喪，絕望地想著自己可能會就這樣死去。直到有一天，奇蹟出現了。

「一個新來的醫生走進我的病房，詢問我情況如何。我告訴他，情況實在太糟了，我痛得要命。他說我需要更有效的藥來解除疼痛，但他說他當時得去見某人，不過馬上會再回來。

「這期間，他建議我看一下電視，以便轉移注意力。他為我打開電視機，剛好有一個我很喜歡的節目正在播出，叫做『歡樂一族』。你看過這個節目嗎？」他問年輕人。

「有！那也是我最喜歡的節目！」年輕人說。

「好看吧！那天晚上的節目好熱鬧，可能是我看過的最有趣的一集。結果我就一直笑、一直笑。等到節目結束時，醫生回來了。他又問我感覺如何，我才突然發現……不痛了！那真是太神奇了。那天是我生病以來，第一次從疼痛中解脫出來。

「可是醫生看起來不覺得有什麼奇怪，他說，笑是他所知最有效的一種藥。我們閒聊了一會兒，都是與我身體有關的話題，然後他遞給我一張名單，說這些都是他的同事，我出院後可以去拜訪他們，他們會給我一些幫助。

「幾個小時之後，我又開始感到疼痛，又開始覺得沮喪，但突然間我想到了——」

「想到什麼？」年輕人急切地想知道下文。

「我必須要做的，就是想辦法讓自己發笑。我請人把錄影機搬到我的病房裡，然後播放以前錄下的『歡樂一族』節目。你相信嗎？笑真的生效了，我的疼痛感漸漸消退。

「幾天之後，我決定出院，因為醫院的伙食太可怕了，空氣又不好。我決定搬到空氣新鮮的鄉下療養，那裡有純淨的水質和新鮮的食物。因此，我搬進一間鄉下旅館，大量收看自己喜愛的節目，比如好笑的電視節目、有趣的影片，以及一切可以讓我發笑的節目等。

「當然，除了整天大笑之外，我還特別注意飲食的營養、呼吸新鮮空氣，以及規律地運動。要得到健康，我們必須遵循健康的所有法則，這是我從醫生給的名單中那些人身上學到的。然而，讓我恢復健康的最大功臣，就是笑！

「四個月之後，我的疼痛完全消失了。醫院的最終檢查也證實，我完全康復了，沒有任何疾病的跡象。我利用古老的治療方法，從五百分之一的復原機率中站起來；沒有吃藥，也沒有手術，只是讓自己發笑。」

「真是太神奇了！」年輕人驚歎，「可是為什麼你覺得是笑讓你復原呢？說不定有其他原因，比如奇蹟出現什麼的。」

「這個問題很有趣，我當初也是這麼問自己。所以，我做了一些研究，查明了為什麼『笑』對我們的健康很有益處。『笑』對身體的影響，恐怕超過我們的想像。譬如，笑會讓腦部釋放出一種類似荷爾蒙的化學成分，叫做『腦內啡』（endorphin），這種成分本身就是一種自然的止痛劑，可以增強我們的免疫系統。

「大笑還可以改善呼吸、增加肺活量，讓心肺吸入充足的氧氣，對我們的身體絕對好處多多。」

「這我知道，幾個星期前，我才從一位瑜珈老師那兒學到呼吸方法的重要性。」年輕人興奮地說。

「沒錯。大笑是增強心肺功能最有效、最輕鬆的方法。大笑還可以促進腸的蠕動，使腹部的器官和組織都得到適當的按摩。當你大笑時，血液就會充分流向各個重要器官。

「笑，也有益於心理健康。一些研究指出，人們大笑之後，注意力比較容易集中。大笑還能有效地緩解壓力，身體的壓力荷爾蒙——腎上腺素和可體松，會在我們大笑時降低。」

「你看這個，」柯林斯先生說著從書架拿下《聖經》，快速地翻閱到某頁說，「在這裡，你看，箴言十七：二十二。」

「歡愉之心猶如良藥。」

「這種療法在三千多年前就已經被記錄下來了，雖然專業醫學至今仍忽視它，但不容置疑，笑真的是幫助你驅除疾病的一帖良藥，而且能讓你常保健康。」

年輕人這才突然發現，自己過去幾個月常常感到壓力重重、身心疲累，根本很少笑。

「生活壓力太大，實在很難笑出來。」

「沒錯。」柯林斯先生說，「可是壓力大的時候，我們更需要笑。我們可以在這時候去發掘一些有趣的事物，然後告訴自己：『這件事是不是有點好玩？』或『這件事一定有好玩的地方。』

「你在生活中想要尋找什麼，就會發現什麼。當你尋找神奇，你就會走向一個神奇的人生；當你一心想著災難，你的生活就會充滿災難；當你追尋趣味，你就會擁有歡愉健康的人生。

「你有沒有這種經驗？曾經讓你沮喪不已的事情，往往幾個月或幾年過後，你卻能夠一笑置之？」

年輕人馬上點頭同意。他想起幾年前的一段往事。有天晚上，他精心打扮了一番，去跟他很喜歡的女孩約會。其間，一個侍者絆了一跤，把盤子裡的點心全倒在他身上。當時，他既生氣又困窘，氣得簡直快要七竅生煙。可是幾個星期之後，他竟把這件事當作笑話告訴朋友。

「為什麼非要等一段時間過後才會笑呢？」柯林斯先生說，「為什麼不在事情發生的當下就發現有趣的那一面？人生本來就如戲，至於會是喜劇還是悲劇……就全看你自己囉！你說呢？」

年輕人覺得這個比喻很令人振奮，他決心要做個改變。

年輕人對柯林斯先生說：「這些聽起來簡直棒呆了，我完全懂你的意思。從現在起，我會讓自己不那麼嚴肅，並且盡量提醒自己每天都要大笑。」

說完，年輕人胸有成竹地闔上筆記本。

「還有一件事，」年輕人又說，「那天去病房看你的醫生，是一位中國老先生，對不對？」

「當然！還會有誰？」柯林斯先生答道，「我奇蹟般地康復後，回到醫院去探望我的主治醫生，他說，這是他第一次見到，像我這種病人可以完全康復。我說這得謝謝他的同事，一位中國老醫生。可是他根本聽不懂我在說什麼，因為醫院裡沒有中國醫生！

「我自己也不知道那位老人是誰、來自何方。可是，我確定他不是普通的人。」

年輕人也對那位老人充滿疑惑，但他最近碰到的這些人漸漸打消了他的疑惑。健康之門已經在他面前開啟，正引領他走向健康的生活。

「對了！我想問你，」柯林斯先生說，「你有沒有聽過一個笑話，有一個人和一隻鱷魚走進一家酒吧……」

辦公室外，柯林斯的秘書聽到兩個男人正服用著他們最迷戀的藥方——大笑。

當天晚上，年輕人重讀自己今天所做的筆記：

歡笑的力量

- ♣笑，是去除疼痛、治癒疾病的良藥。
- ♣笑，促進呼吸、增進心肺功能，幫助腸胃蠕動、按摩腹部器官。
- ♣笑，能增強免疫系統。
- ♣笑，促進注意力集中，緩解精神壓力。

祕密6
休息的力量

過了一個星期，年輕人才有機會和名單上的第六個人見面。在這段期間，他遵循先前所獲得的建議，開始改變自己的生活。才短短幾天功夫，他已經感覺煥然一新了，家人和朋友們也注意到他的改變。之前，他對健康的祕密還存有一些懷疑，但此刻已經毫無疑慮，因為他確實感覺到，自己從不曾像現在這麼健康過。

名單上的第六個人叫做理查·蘇，是一位「壓力紓解顧問」；這位蘇先生看起來跟一般成功人士截然不同：他有著健康而光滑的臉孔，眼睛閃閃發亮，舉止顯得安靜、閒適而令人感覺舒心。

蘇先生從容地說：「我第一次接觸健康的祕密是在十五年前，那時我的生活跟現在很不一樣。我曾經是很成功的證券經紀人，賺了很多錢，同時卻也很貧困。」

「這話是什麼意思？」年輕人不太理解。

「我的健康狀況很『貧困』。沒有健康，金錢和財產又有什麼價值呢？我工作非常努力，有時一天工作十六個小時。每天面對的都是鉅額的金錢，可能是上百萬或上億，一不留神，如果有個什麼閃失，所損失的，不是上億，也有百萬。所以，壓力之大難以想像。」

「的確是。」年輕人表示同意。

「壓力很快就開始向我的健康『抽稅』了，我愈來愈難以放鬆自己。最後，只得每天依賴酒精迫使自己平靜下來。有時候我實在太緊張了，甚至需要服用鎮定劑。幾年後，我的身心健康瀕臨崩潰的邊緣，我同時患有高血壓、胃潰瘍和嚴重的偏頭痛。至此，我的健康宣告破產，開始活在借來的時間裡。」

「後來是什麼機緣改變了你？」年輕人問。

「一趟火車之旅。」蘇先生回答道。

年輕人露出驚訝的表情，他說：「這是什麼意思？」

「一天，我正坐在回家的火車上，火車突然在兩個車站之間停了下來。當時火車很擁擠，誤點時間愈長，我就愈緊張煩躁。後來，我胸口緊繃起來，呼吸也開始困難，吸一口氣都十分費力。

「等我醒過來時，我記得自己躺在地上，有一位中國老人跪在身旁看著我。他檢查我的眼睛後，說我剛剛有輕微的心臟病發作，現在精神十分虛弱。

「他把我帶到一家地方醫院做全面檢查。前往醫院的路上，他告訴我說，我的生活形態對健康造成了非常大的影響。那是我第一次聽到關於健康的祕密。

「中國老人給了我一張名單，他說，名單上的人可以教我學會健康的祕密。透過學習，我很快就發現，生活形態對疾病和健康有很大的影響。在這些健康的祕密中，有一個是我以前完全忽略的，那就是健康的第六個法則——休息的力量。」

「那是什麼？」年輕人問道。

「休息使你的身心恢復活力，如果身體和大腦沒有得到足夠的休息，就不可能常保健康。這個道理很簡單，可我們卻總是忽略它。

「世界上所有的生物都需要在適當的時間休息——人類、動物，甚至一塊農田都需要，這是大自然的法則。《聖經》中也提到，甚至神都要在創造世界之後的第七天休息。只有人類，經常想著永遠工作，最好不要休息。

「我們用狂亂的步伐體驗生命，從來不曾停歇；我們沒有時間好好欣賞夏日傍晚的夕陽，沒有時間聞一聞春天的櫻桃香味，也沒有時間聽聽鳥兒的歌唱。你有沒有想過，這個年代有許多東西在幫我們節省時間，電話、傳真機、洗衣機、烘乾機、吸塵器、電腦、汽車、飛機……可是人們還是沒有時間。

「工作的壓力日積月累，很多人每天下班後都疲累不堪，飽受慢性疾病困擾。我曾經像大多數人一樣，長期處於壓力和亢奮狀態之中。

「所幸，我改變的時候還不算太晚。我學會了適當地休息和放鬆自己，身心狀況從此大大改善。幾個星期後，我的病症消失了，血壓也回復正常。」

「這是真的嗎？」年輕人不可置信地喊道，「只是休息就這麼有效嗎？」

「那當然！」蘇先生說，「生理和心理上適當的休息是健康的基本要素。科學研究證明，身體和精神上的放鬆，可以減低身體大約百分之五十的氧氣需求量，降低約百分之三十的心臟負荷，並降低高血壓。研究報告還指出，在我們休息過後，腦波中的警覺和反應能力都會同步增強，而短期和長期的記憶力也會明顯增強。

「你如果擁有優質的睡眠品質，頭痛機率會比較低；體力會增強，健康狀況也相對良好。休息不但有助於改善我們的家庭和社會關係，更可以改善健康狀況。」

「你說的很有道理，但要怎樣才能確保我們得到足夠的休息？」年輕人問道，「當我們處於緊張的壓力之下，是很難放鬆身心的。你不是也有過這種經驗嗎？必須依賴酒精和鎮定劑緩解壓力。」

「這個問題很好，正是我接下來要說的。」蘇先生說，「首先，你必須學會放鬆大腦。每天，我們都要找時間把手上的事情停下來，做一些沉思、冥想和放鬆練習。通常，大部分人都很難持續專注地工作一個小時以上。工作超過一定的時間之後，我們的專注力就開始游移了，這對工作是有負面效果的。

「在辦公室工作，需要規律的片刻休息。如果上班族都有固定的休息時間，老闆一定會發現，員工們會工作得更有效率、犯的錯誤更少，同時，創造力和產能也會有所提升。每工作一段時間，花十分鐘休息，讓疲倦的筋骨和混亂的大腦放鬆一下，對健康和工作都很有助益。休息好比精神的假期，可以讓我們的神經系統冷靜下來，恢復元氣、提升精力。」

「睡覺的時候不就可以休息了嗎？」

「不盡然。我們的確需要睡眠，可是你一定有過這種經歷：睡了一夜，早晨醒來竟然跟睡覺前一樣累。」

年輕人迅速點頭說：「對！而且經常這樣。」

「你認為這樣會有良好的休息品質嗎？」

「我想沒有。」年輕人眼前不斷浮現出這樣的情景：雖然睡了很久，卻仍常常疲累地醒過來，就像沒有休息過一樣。

「所以睡很長時間並不表示你就得到足夠的休息。睡眠很重要，每個人每天都需要大約六至八小時的睡眠。但適當的休息需要一種平靜、放鬆的心態，否則，大腦會在睡覺時不斷地打擾你。很多人會為一些非常瑣碎的事情感到憂慮，這會耗損我們的精力，剝奪我們的休息時間。」

「我就是這種杞人憂天的人，經常對任何事情都誠惶誠恐。」年輕人說。

「喔！你以前經常這樣，並不表示將來也會這樣。如果你繼續做跟以前一樣的事情，那你就會得到跟以前一樣的結果。但是，相信我，你可以改變！有兩個很簡單的方法可以讓你停止憂慮，保持心態平和。」

「什麼方法？」年輕人急切地問。

「很簡單，第一，不要為生命中的小事感到憂慮；第二，記得！生命中的所有事都是小事一樁。

「我們得善待生命，以樂觀、輕鬆的心態看待生活。一旦我們感到緊張或受挫，可以問自己這個問題：『十年之後，有誰會在意呢？』如果答案是沒人會在意，那就表示這是一件小事，毋須浪費時間去擔憂。

「要讓身心放鬆，還得學會『做一天和尚撞一天鐘』。耶穌說過：『給我們今天的麵包。』不是昨天或明天，而是今天。意思就是，活在今天，就只擔憂今天的事，毋須擔憂明天或後天的事。如果你不斷地回想過去或憂慮未來，你就無法得到休息。

「另一個讓你得到充足休息的方法，就是每個星期當中，要有一天是專門用來休息的。這一天必須忘記工作中的所有煩惱和帳單。你可以盡情與家人共用假期，釋放累積了六天的壓力，充分休息。

「一個星期花一天時間休息，很簡單，卻非常重要。世界上所有的重要宗教都指定安息日——休息的日子。上帝特意給我們一個安息日，就是要提醒我們需要停下來沉思和放鬆。安息日也是我們可以平和地與自己及世界共處的時間。」

年輕人再次回想起自己的生活，每天都在不停地工作，還經常把工作帶回家，連週末也不休息，難怪會經常覺得疲累。

「另一個幫助你放鬆的方法是——深呼吸。」蘇先生解釋道。

「對了！我認識一位女士，她曾經教我怎麼做深呼吸練習，」年輕人說，「深呼吸可以加快淋巴系統的排毒速度，有助於放鬆身心，對吧？」

「是的！深呼吸也可以協助放鬆大腦和身體。」蘇先生繼續說，「當你感到有壓力或緊張時，胸部的肌肉是緊繃的，這當然會引發疾病。深呼吸則有助於放鬆胸部肌肉、鎮定神經系統。你知道嗎？容易緊張的人通常呼吸都很急促，而身心放鬆的人通常呼吸比較沉穩。

「這是休息的基本原則。相信我，這完全改變了我的生命。我只要想到自己在火車上因為突發心臟病，而遇到一位中國老人，並因此學到了休息和放鬆的健康法則，從而改變了生命，就覺得這一切真是太奇妙了。」

年輕人傍晚回到家後，又拿出今天做的筆記重新閱讀一次：

休息的力量

♣沒有休息與放鬆，就無法常保健康。
♣休息並放鬆身心、恢復元氣，是身心健康不可或缺的條件；休息後，身體對氧氣的需求量將降低百分之五十；休息能降低高血壓，提升記憶力。
♣一天之中，需要規律地休息片刻。
♣使用兩個重要方法消除憂慮：
1. 每個星期設定一天為休息日。
2. 做深呼吸，尤其在壓力大或緊張時。

祕密7 姿勢的力量

年輕人名單上的第七個人是一位牙醫，叫做伊恩·唐森，居家和診所位於市郊。年輕人對於跟唐森醫生的見面感到局促不安，因為他向來害怕看牙醫。而他也感到納悶，一個牙醫師對健康能有什麼獨到的見解呢？

週六上午十點，年輕人帶著筆記本準時到達唐森先生的診所。與以往不同的是，出發之前，年輕人特地把牙齒徹底刷了一遍。

開門的是一個身材矮小、其貌不揚的男人，穿著一身休閒白襯衫及斜紋棉布牛仔褲。

「早安！請問是唐森先生嗎？」年輕人小心翼翼地問。

「我就是。很高興認識你，請進！」

年輕人既驚訝又暗喜：幸好唐森先生把他帶到客廳，而不是診療室。

「是中國老人把我的電話號碼給你的吧?!」唐森先生說，「我是在十幾年前遇見他的……但是，每當我閉起眼睛，仍然可以很清楚地看見他的樣子，清晰地聽見他的聲音。

「當時，我的人生陷入逆境，日子過得很艱難。我極度沮喪，身體狀況每況愈下，經常消化不良，呼吸也不順暢。我去了多家醫院做檢查，但所有檢查結果都正常，醫生也說我的身體沒有問題。但我知道一定有什麼地方不對勁，才會導致我的這些症狀，否則我不可能總是覺得不舒服。

「我很不願意用藥物控制情緒，卻感覺愈來愈沮喪。後來，在耶誕節前一個又黑又冷的早上，我遇見了你的朋友——中國老人。自此以後，我的人生全然改變了。」

當唐森先生說到老人時，年輕人聽得更專注入迷，不自覺地坐直了身子。

「那是一個清晨，草地上結滿了霜，天空還掛著一輪明亮的滿月。我跟平常一樣在公園裡遛狗。我把一根樹枝丟出去讓狗兒撿回來時，突然，我咳嗽得很厲害。

「我咳得喘不過氣，胸口痛得要命。有隻手忽然搭在我的肩上，並有一個溫和的聲音叫我坐下。我抬頭一望，說話的是一位中國老人。他搭在我肩上的手讓我感到一陣溫暖……不！不是溫暖，而是一股熱氣，我突然停止咳嗽了。

「我們並肩坐在公園的椅子上，開始談起話來。那是我第一次聽到關於健康的祕密。後來，我為改善自己的健康做了許多努力，其中對我特別有效的法則，就是『姿勢的力量』！」

「『姿勢的力量』？是什麼意思？」年輕人說著，不自覺地挺直了自己的背脊。

「身為一位牙醫師，我在為病人治療時總是彎著腰。長年累月，我的肩膀開始向前彎曲，背也駝了。現在還有很多人的情況跟我一樣，特別是需要久坐的辦公室職員，這樣很容易造成不良的姿勢。當然，人們還會因為童年的壞習慣導致姿勢不良。在西方國家中，小孩子平均每天花五個小時坐在電視機前，有些小孩甚至花更多時間坐在電腦前玩遊戲。

「人類的體格構造並不適合久坐。你的姿勢，諸如你的站姿、坐姿、走路的姿勢……等，都跟你的健康關係密切。」

「姿勢為什麼這麼重要？」年輕人滿腹疑惑地問。

「要保證身體的各個組織和器官都能健康、高效地運作，需要兩個條件：良好的血液循環和神經系統的傳導。血液能將人體所需的各種營養物質和氧氣運送到身體的各組織細胞內，同時將組織的代謝產物運送至肺、腎等器官，並排出體外，以保持新陳代謝正常進行。神經系統的傳導則是點燃能量的『火花』，缺失了任何一項神經傳輸功能，組織都會因此腐化。而控制著血液循環和神經系統傳輸的因素是什麼呢？就是你的姿勢！

「想像一下，你用手掐緊一條塑膠水管，會發生什麼事？」

「水管會被堵住。」年輕人答道。

「完全正確。血管和神經導管也一樣，如果被錯位的關節或肌肉痙攣所壓迫，血液循環和神經傳導就會被阻礙。」

年輕人一臉疑惑，唐森先生繼續耐心地解釋道：「人體共有二十六節脊椎，每一節都有血管和神經結從脊髓中穿過。當你彎腰駝背或坐姿不良時，脊椎會擠壓血管和神經結，結果就會如同水管被掐住一樣。在姿勢不良的情況下，通過血管傳輸營養的組織和器官，以及通過神經傳導的能量，很快就會因為傳輸中斷而衰敗。

「因此，姿勢不良會影響健康，會使胸肌變得虛弱，從而導致支氣管炎等呼吸系統的疾病。而腹部肌肉變虛弱，則會導致消化系統無法正常運作，繼而引發消化不良等問題。

「很多胃下垂患者想透過節食來復原，效果卻差強人意。如果姿勢不良，節食只會使你的腸胃鬆馳、體重減輕，卻不能治療胃下垂。」

「因此，要治療胃下垂的人，應該先改善姿勢，使腹部恢復平坦，而不是透過節食。你的意思是這樣嗎？」年輕人問道。

「沒錯！在古代的醫學系統中，腹部被認為是身體精力的中心。這股精力在中國醫學上，被稱為『氣』；在印度醫學中，則被稱為『哈拉』。如果腹部很虛弱，就表示精力的中心非常虛弱，我們就會感到疲倦乏力。」

年輕人在筆記上寫下一些重點，唐森先生繼續說：「姿勢會影響我們的情緒，這是鮮為人知的一個事實。」

「怎麼可能呢？」年輕人不解地問。

「站姿通常會影響我們的心情。你看過一個沮喪的人站得昂首挺胸，而且呼吸深沉、面露微笑嗎？」

年輕人搖搖頭。

「你知道為什麼嗎？」唐森先生繼續說，「因為大腦會受到姿勢刺激。沮喪時，我們自然就會雙肩下垂、彎腰駝背，而且視線通常不是向上或向前看，而是往下看。有趣的是，我們可以很容易就透過改變姿勢來控制情緒。

「你看，當你站立或坐得挺直時，頭是向斜上方抬的，呼吸深沉，面帶微笑——即使沒什麼理由笑，但你就是會自然而然地放鬆臉部表情。這些都會改變你沮喪的心情。」

「可是沒那麼簡單吧？」年輕人半信半疑地反問，「沮喪是一種很複雜的情緒狀態，不是嗎？」

「我的意思並不是說改變姿勢是消除沮喪的唯一救星，我們同時還必須努力改變心態，把負面的想法、消極的態度轉變成積極正面的。但既然這樣不太容易，那麼就先改變姿態，讓姿態去影響情緒。」

「別光聽我說，你得試試看。」牙醫師鼓舞年輕人，「坐直！收下巴，想像頭頂有一股力量把你往上拉。深呼吸！微笑。」

年輕人雖然覺得有些尷尬，但還是照著牙醫的話去做。奇怪的是，霎時間，他感覺自己變得信心十足、精神百倍了。看來，姿勢改良療法非常簡單，而且療效顯著！

年輕人忍不住問道：「如果說沮喪會導致姿勢不良，那快樂的情緒是否就會讓我們保持健康的姿勢？」

「對！這是很自然的。你一定看過積極快樂的人總是抬頭挺胸，而消極沮喪的人卻經常垂頭喪氣，對不對？」

「嗯！這真的很奇妙。」年輕人想了一下，急忙低頭寫下重點，隨後又抬起頭來問：「可是，該怎麼改善自己的姿勢？」

「有幾種方法可以訓練自己保持正確的姿勢。記住！身體可以本能地判別出什麼才是正確的姿勢，不良的姿勢都是後來養成的壞習慣罷了。

「首先，最重要的一步就是『自覺』。你一旦覺悟到姿勢的重要性，就會自覺地、有意識地擺出正確的姿勢。所以，我剛剛提到『姿勢』這個詞的時候，你會馬上坐得比較端正。

「保持健康的姿勢絕對不能靠強迫。很多人都以為他們必須站得跟士兵一樣：抬頭挺胸、收小腹，這倒不必。抬頭時，雙肩必須是放鬆的，臀部稍微向上提，膝蓋放鬆而不是鎖緊。

「養成保持健康姿勢的習慣要從自覺開始，我們必須隨時注意自己的站姿、坐姿和走路的姿勢，譬如，你站著或坐著工作的姿勢、你坐在電視機前面的姿勢、你排隊買東西時的姿勢等。任何時候，一旦發現自己彎腰駝背，就應該立即做一個深呼吸，想像自己正被一股力量緩緩拉直。

「別忘了姿勢因人而異，因為每個人都有不同長度的腳、軀幹和手臂，身體重心也不同。因此，最好的姿勢不是固定的，但我們都可以重新摸索最適合自己的最好姿勢。」

「怎麼做呢？」年輕人問道。

「自覺跟改變壞習慣是最重要的，譬如，很多秘書的上背部經常是歪斜的，因為他們在聽電話時，習慣把話筒夾在脖子和耳朵之間。這會造成一邊的肌肉比另一邊強壯，而把脊椎拉向不正確的位置。」

年輕人愧疚地咽了一下口水，他發現自己就是這樣。

唐森先生繼續說：「父母經常用同一隻手臂抱小孩，業務員總是用同一隻手提公事包，送報的小男孩長年累月也都用同一邊肩膀扛起非常重的報紙，這些都是不正確的姿勢。小孩的姿勢不良尤其嚴重，因為他們的骨骼正在成長階段，如果不及時矯正，將會造成終生遺憾。

「只用到一隻手的運動也無益於健康。網球就是個好例子，如果你每次都向同一邊彎腰、扭轉同一邊背部、用同一隻手揮拍，長期下來，一定會造成姿勢不良，導致一邊的肩膀、背部比另一邊強壯。

「總而言之，正確姿勢的祕密就在於平衡。長期持續的不平衡運動，就會有礙健康。」

「可是你不會建議別人不應該玩『一邊的』運動，譬如網球或高爾夫吧？否則，母親也不該抱小孩、業務員也不該提公事包了？」年輕人問道。

「喔！那當然不是。我自己也經常打網球，」唐森先生肯定地說，「我也是為人父母者啊！我的意思是，如果我們選擇了這類運動，或必須做一些導致姿勢不良的工作，就一定要避免不平衡。」

「你是怎麼做到的？」

「這很簡單。關節被一些柔軟的組織包覆著——肌肉、肌腱和韌帶。如果一邊的關節肌肉比另一邊強壯，就表示關節被拉出正確的位置，這就是不平衡的姿勢所導致的。因此，如果我們接電話時經常把話筒夾在脖子某一邊，就應定期地把脖子轉向另一邊；如果經常打網球，在運動中或運動之後，就必須把肩膀往相反的方向扭轉，或換另一隻手擊球；如果經常抱小孩或提沉重的公事包，就必須經常換另一隻手來做。這些都是常識。」

「這些聽起來都不錯，但還有沒有其他可以幫助我改善姿勢的方法？」年輕人問道。

「均衡的運動、營養豐富的飲食和平衡的情緒，這些都很重要。肌肉因為缺少運動或營養不良會變虛弱，導致不能牢固地支撐關節。同理，如果我們陷於負面的情緒之中，姿勢也會受其影響。雖然，我們可以有意識地控制自己的姿勢，但不可能每分每秒都會注意到，長期下來，情緒會戰勝意識的。

「健康法則有十項祕密，都同等重要。我不建議你每分每秒都坐得挺直、面帶微笑——雖然這樣一定很完美。但當我們自覺到姿勢的力量，就可以利用它來改善生理的健康，幫助我們控制情緒。」

談話結束之後，年輕人向唐森先生道謝並辭別。唐森先生看著年輕人抬起頭，走向花園小徑，不禁暗自微笑——年輕人已經開始利用姿勢的力量了。

當天，年輕人就在家中整理好筆記的重點：

姿勢的力量

- ♣正確的姿勢是健康的基本條件。不良姿勢阻礙血液循環、限制神經傳導，並引發疾病。
- ♣姿勢不但影響身體健康，也影響情緒。
- ♣正確的姿勢要從自覺開始；每天隨時注意自己的姿勢，糾正所有不良的姿勢。
- ♣有助於保持健康的姿勢是：深呼吸，想像頭頂有一股力量緩緩地把你的身體往上拉。

♣正確姿勢的祕密，就是平衡。

秘密8

環境的力量

彼得・斯葛洛夫是一位四十五歲的景觀設計師，住在郊區的小別墅裡；他是名單上的第八個人，年輕人對他感到特別好奇。

「畢竟，」年輕人暗想，「一個景觀設計師能對健康有什麼見解呢？」

出來迎接年輕人的是一位皮膚曬成深棕色的矮小男士，「今天天氣真不錯！我們坐在外面談，你覺得如何？」斯葛洛夫熱情地握著年輕人的手說。

「好啊！換一個環境，還能呼吸新鮮空氣。」年輕人贊同。

斯葛洛夫先生引領年輕人沿著花園小徑走向別墅後院，偶爾會停下來跟年輕人講解花園裡的花草植物。最後，他們來到陽台下的一張大松木桌前。斯葛洛夫先生為彼此倒了一些新鮮的蘋果汁，然後問年輕人：「你想知道些什麼？」

年輕人向他敘述了自己的健康狀況，以及跟中國老人相遇的故事。

「喔！是這樣啊！我明白了。」斯葛洛夫先生說。

「你知道那位中國老人是誰嗎？」年輕人問。

「不知道。」他坦白地說，「我只在十五年前見過他一次。那時的我與現在判若兩人：當時我臉色蒼白、身體虛弱，還患有慢性濕疹，精神極度沮喪。那真是一段可怕的歲月。

「直到有一天，轉機來了，我的生命從此改變。那一天，我感覺特別不舒服，便提早下班回家休息。我走進電梯，按了一樓的按鈕；電梯下降幾層之後，在某層樓停了下來，走進來一位矮小的中國老人。後來電梯突然在樓層間停住不動，連燈也熄滅了。等到有人來把電梯修好，已經三個小時過去了，你可以想像當時我有多憤怒！我愈來愈躁動不安，頭又痛得要命，覺得腦袋簡直要爆炸了。

「黑暗中，那位老人說話了，他說：『別擔心！很快就會好的。』我還沒來得及問他說的是什麼意思，他又說：『我來幫你。』他的手碰觸到我的後頸部，我立刻感覺一陣痛楚，隨後頭痛感完全消失了。他好像放走了什麼東西，真是令人難以置信，簡直就是奇蹟。

「我問老人用什麼方法解除了我的痛楚，他說他使用了一種古代的技術，把導致我頭痛的電磁張力從脖子釋放出去。我想你應該可以想像，聽他這麼說，我簡直驚呆了！天知道這老人怎麼知道我頭痛？還有那電磁張力又是什麼玩意兒？

「他向我指出，辦公室裡，包括電腦、影印機、傳真機、投影機等種種設備的輻射線，都會扭曲磁場，進而影響身心健康。他還談到關於健康的祕密，我第一次聽說，這麼小的細節卻對健康如此重要。」

年輕人也有同感，他同樣很難想像，自己的思想、飲食、姿勢，或其他微不足道的小事，竟然對健康有這麼巨大的影響力。

「老人給了我一張名單，他說這些人可以幫助我，而他們也真的對我都有所助益。但是，其中一條法則對我而言特別重要，那就是『環境的力量』。」

「你能解釋更清楚一點嗎？」年輕人請求道。

「在不健康的環境中，人無法常保健康。人體的機能構造決定我們不能活在缺乏新鮮空氣、沒有自然陽光或輻射太強的地方。我生病的部分原因就在辦公室裡，因為我們在辦公場所待的時間最久。

「我的辦公室裡滿布最先進的設備，包括電腦螢幕、投影機、人工照明器、空氣調節器……等，這些儀器構成了一個高輻射量、不健康、不自然的工作環境。

「我注意到的事情其實很簡單，可是大部分人都不曾仔細思考過。想得到健康，就必須創造健康的環境。我們必須確定，工作、睡覺和居住的環境是有益健康的，人體需要一個適合生存的健康環境。

「就從新鮮空氣說起吧！我們可以幾個星期不進食、幾天不喝水，卻不能三分鐘沒有氧氣。可是，很多人卻在完全封閉的辦公室或工廠裡工作，一再循環吸入混濁的空氣。這怎麼可能得到健康呢？我們要打開辦公室和房間的窗戶，呼吸新鮮的氧氣。」

年輕人想起他跟克夫特太太見面時，她教他如何深呼吸，「沒有呼吸，就不會有生命。」她也曾這麼說。他想，或許也可以這麼說：「沒有氧氣，就不會有生命。」這些道理現在看來都可以融會貫通，也好像拼圖一般，一片片漸漸在他腦中拼湊得更完整。

他問斯葛洛夫先生：「如果辦公室周圍的環境本身就很不健康，到處都讓人感到忙亂與污濁，那該怎麼辦呢？打開窗戶恐怕也只能呼吸到煙霧和塵埃罷了。」

「那就只有三個選擇了：換工作，或叫老闆買個空氣清淨機，或者接受現況，繼續呼吸混濁的空氣。」斯葛洛夫先生繼續說道，「當然，還有光線的問題。除非你很幸運，辦公桌恰巧就在窗戶旁邊，否則通常都是在不見天日的密閉空間裡工作。」

「可是陽光有這麼重要嗎？」年輕人問道，「我一直以為陽光的紫外線會導致癌症。」

「首先，世界上的每一種東西吸收過量時，都會導致癌症或某種惡性疾病。皮膚長期暴露在過量的強烈陽光下，的確會產生病變，會曬傷、老化，甚至引起皮膚癌。不可否認，因為臭氧層受到的破壞愈來愈嚴重，人們也愈來愈重視這個問題。但實際上，這是人們破壞環境的惡果。

「臭氧層比較薄，意謂著陽光的自然保護層少了，人們也因此更容易曬傷。可是，我們仍然需要陽光。不過，不一定得直接接觸強烈陽光，以致必須暴露在紫外線下。

「地球上的每種生物都需要陽光才能生存，人類也不例外。沒有陽光，身體就無法製造維生素Ｄ，而沒有維生素Ｄ，就不能使鈣質新陳代謝，也就無法保護骨骼和牙齒。沒有陽光，松果腺（pineal gland）就無法運作。松果腺是腦中一個非常小，但很重要的腺體，可以幫助調節血糖的濃度，荷爾蒙和情緒也會受其影響。這就是為什麼現在很多人會得季節性憂鬱症的原因。」

「我聽說過季節性憂鬱症，」年輕人插話說，「但這究竟是什麼病？」

「這是一種缺乏陽光所引起的症狀，會導致很多麻煩事，譬如慢性疲勞、焦慮、沮喪、體重上升、風濕痛、悲傷，甚至性欲下降。季節性憂鬱症通常在冬天發病，在春天消失。現在，我們可藉由一種波長跟陽光很接近的螢光燈，在室內製造陽光。不過，最好的還是自然的陽光。」

「那其他的環境因素呢？你剛剛提到說，你曾經受電磁輻射的影響，那是怎麼回事？」

「對！來自電腦、投影機、鐳射印表機、影印機和其他電器設備的輻射，會損害健康。愈來愈多的跡象顯示，輻射不僅會導致偏頭痛或皮膚癌，甚至還可能引發血癌、不孕症或其他癌症。」

年輕人立即問道：「那怎麼辦？工作不可能說換就換。」

「那當然！可是，如果你不能把工作場所帶進大自然，那就把自然帶進工作場所。打開窗戶，保證室內的光線充足，在你的工作區域種一些植物。」

「植物能有什麼幫助？」年輕人懷疑地問。

「這你就小看它了，植物才是最好的環境清淨機呢！根據美國太空總署的研究證實，一般居家植物的葉片和根部都可以吸收空氣中大部分的有毒氣體和污染物質，還可以吸收和排除過量的輻射物質。」

「真的這麼神奇？」年輕人睜大了眼睛說，「你是說，我們只要把植物放在辦公室中，就可以創造出健康的環境，得到更多的新鮮空氣和更充足的自然光？」

「沒錯！看來你已經入門了。」斯葛洛夫先生說，「不過，除了工作場所之外，我們還必須關注整個世界的環境。畢竟，如果我們把污染嚴重的水、土地和空氣留給後代子孫，他們還有什麼希望呢？前人種樹，後人乘涼。我們現在就得重新創造出一個生態平衡的自然環境，讓它回復自然的狀態。」

年輕人從沒想過周圍的環境對健康竟如此重要，他更沒想到，自己竟然有能力去改變生活和工作的環境。他不禁想著：「如果每個人都嘗試去改善周圍的環境，包括工作和居家的場所，因此而擁有健康的身體，並為子孫留下更加健康的生活環境，不是很好嗎？」

這天晚上，年輕人整理了今天的談話重點：

環境的力量

- ♣新鮮的空氣和充足的陽光是健康環境的基礎。
- ♣如果不能把工作帶進自然中，那麼，就把自然帶進工作中吧！
- ♣改善周圍的環境，盡一己之力，將平衡與和諧還給大自然。

祕密9
信念的力量

第二天晚上，睡夢中的年輕人突然從閃電雷鳴中驚醒過來。他起身走到窗前，望著窗外的傾盆大雨，心裡一片迷惘。毫無疑問地，透過學習健康的法則並親身實踐，現在他的確感覺好多了。可是，這真的會讓他戰勝病魔嗎？前些日子，醫生還曾告訴他，現在這種狀況可能是病情惡化的前兆。年輕人為此飽受疑慮和恐懼的煎熬。如果醫生所言屬實，那會怎麼樣呢？

年輕人想起了名單上的第九個人：愛彌爾・都布列，是一位退休醫生。年輕人希望這位醫生能給他一點安慰。

都布列醫師有一頭稀疏的灰色頭髮，從臉上皺紋可以看出他已年近八十，但是，大而明亮的藍眼睛卻充滿了年輕的光彩。都布列醫師用雙臂緊緊擁抱了年輕人，歡迎之情似乎太過熱烈。不過，年輕人現在已經習慣了，雖然在幾個星期之前，他對於陌生人的擁抱還感到十分尷尬。

他們坐下沒多久，年輕人就對都布列醫師說出了自己心中的憂慮。都布列醫師把身體稍向前傾，笑著說道：「不必煩惱！你的選擇是正確的，只要堅持下去，一定會康復。當病人沒有接受任何醫學治療而病情好轉時，醫生通常會認為這是迴光返照的現象，或是病情惡化、轉移的徵兆。他們不瞭解健康法則的祕密所在，進而猜測這些奇蹟式的復原只是靠運氣。但你、我都清楚真正的原因，不是嗎？」

「可是，診斷我的醫生是個專家啊！」年輕人堅持道。

「嗯！這個嘛……」都布列醫師說，「你知道愛爾蘭戲劇家喬治．蕭伯納怎麼形容專家嗎？他說專家就是：一個人對於愈來愈少的東西瞭解得愈來愈多，直到他對『沒有』這個範疇完全瞭解為止。」

他們不約而同地笑了，年輕人焦慮的情緒才漸漸舒緩。

都布列醫師繼續說：「健康的祕密就如天上的星星，高掛在每個人都可以看得到的地方，但是卻很少人會用心去觀察。很多人認為健康和醫學密切相關，在醫學院求學的時候，我曾接受過這樣的教育觀念：人就像一部機器，可以像汽車一樣被修復，而健康的鑰匙，則是更新更好的藥物。

「一九三六年，我在布拉格大學被授予合格醫師資格。可是，直到第二次世界大戰期間，我才真正學到保持健康的最重要一課——信念的力量。」

「怎麼說呢？」年輕人充滿好奇地問道。

「人不單是一部機器，不只有血肉和骨頭，還有靈魂，這是人不同於化學分子的地方。因為擁有靈魂，人們就能超越軀體的極限。」

年輕人專注地聽著，都布列醫師繼續解釋道：「大戰期間，我在德國集中營熬了四年，僅靠發黴的麵包和一杯他們稱之為『湯』的溫水度日，瘦得跟皮包骨一樣。這些食物不含任何維生素、蛋白質，更談不上營養價值，但我卻存活下來了。直到今天，科學家們還是不明白，為什麼人類可以依靠這麼少的食物存活下來。」

「是啊！你是怎麼活過來的？」年輕人問道。

「信念！大戰結束前，我得了痢疾，無法進食，而且流了很多血。那實在太痛苦了，我恨不得一死了之，以尋求早日解脫。我已經完全崩潰，唯一能做的事情就是祈禱……」都布列醫師的眼裡泛著一層淚光，「直到你那位朋友出現。」

他哽咽說道：「那天深夜，一位東方老人跪坐在我身旁，握著我的手，對我說：『朋友，你不會死的，要有信心！要有信心！』他整夜都陪著我，當第二天我醒過來時，他卻已經走了。我的身體雖然還是很虛弱，內心卻堅信老人的那番話。直到現在，我的耳邊還常常迴響起他的聲音。第二天，戰爭結束了，集中營被解放了。我得救了，體重還不到四十公斤，可是……那位東方老人沒說錯……我還活著。」

年輕人哽咽了，他無法想像眼前這個高大的男人竟然曾經如此瘦弱。

都布列醫師繼續說：「那位中國老人挽救了我的生命，而他教給我的，是我在醫學院從沒學過的最重要一課。」

「是什麼呢？」年輕人問。

「哪裡有信念，哪裡就有生命。」

「你所謂的『信念』是指什麼？」年輕人追問道。

「信念，就是還沒被發現和證實的真理；信念是一種心靈的信仰，是一種使不可能成為可能的心靈力量，是所有事物的解決之道，是所有期待的希望，是黑暗盡頭的曙光，是一種可以移山的力量。」

「可是信念到底在哪裡？」年輕人急切地問道。

「信念在生活中，在你的心裡。」醫師回答道，「在我這個專業領域中，很多人都會認為這些說法純屬胡編亂造。事實卻是，他們拒絕抬頭，所以從沒看見過星星。」

年輕人問道：「這種心靈的力量對治療疾病有什麼幫助嗎？我最近才學到，意念可以協助我們治癒疾病，讓我們『相信』疾病是可以自我療癒的。」

都布列醫師答道：「這是絕對正確的。可是，信念可以將人類的靈魂和更強大的力量，甚至比意念更強的力量聯結在一起。」

「我還是不明白。」

「好，我給你看一樣東西。」醫師把年輕人帶到另一個房間，裡面擺放著一個高約兩公尺、用一塊布遮蓋著的物體。醫師走過去，揭開那塊布。

「啦啦——！」都布列醫師獻寶似地喊著。

那是一座龐大的太陽系行星模型。醫生按下按鈕，所有的星球就開始循著各自的軌道繞著太陽運行。

年輕人看得目瞪口呆，簡直被如此精準的運行軌跡催眠了。

「這是從哪裡來的？」年輕人吃驚地問。

都布列醫師笑著說：「喔！它們自己形成的啊！過去十年來，它們一片片地聚集起來。長年累月，就變成現在的樣子。」

年輕人迫不及待地喊道：「喔！拜託！別開玩笑了！你到底從哪兒找到這玩意的？」

「我說它是自己形成的啊！」醫師一本正經地回答。

「誰都知道這個模型一定是某個人製造出來的。」年輕人爭辯著。

「喔？聽聽你自己說的話。你堅持這個行星模型是被製造出來的，雖然模仿製作的技術很爛。太陽系如此複雜且無窮無盡，整個宇宙運轉的準確性雖然沒有通過任何機械控制，每個行星卻還能夠一直維持著自己的運行軌道。因此，認為宇宙和生命是自然生成，就跟我說這行星模型是自己形成的一樣荒謬。這就好像有人說，牛津字典是印刷廠裡一場大爆炸後的產物。所以，你瞭解嗎？所有事物都不是偶然、偶發的，有產物就必有生產設計者。」

「嗯！我明白你的意思。」

「對我而言，信念具有超越極限的無窮力量。所以，有人說：『人類並非靠麵包過活，而是靠上帝的箴言而活。』」

「聽起來不錯，但那是什麼意思呢？」年輕人問。

「意思是說，我們需要的不只是生理的營養，更需要心靈的營養。我以一個醫生的經驗確信，信念是治療疾病的最重要因素。紐約癌症協會前主席克勞德·福克納教授也曾說過：『我們經常無法理解是什麼讓病人從病痛中康復。我確定，信念在當中起著最重要的作用。』

「疾病的治療並非單向進行的，除了醫生的診斷治療，還需要病人的配合；病人必須持有康復的信念，因為信念可以讓病人獲得信任及心靈的平和，而信念所散發出的力量可以創造奇蹟。信念被認為是人們從不治之症中康復的主因，是恢復健康的關鍵。

「信念的反面，就是懷疑、恐懼、焦慮和憂愁，這些都有害健康。反之，心懷堅定信念的人往往比較健康，生病時也會復原得更快。

「懷有堅定的信念，就能利己利人。你可以運用信念的力量幫助別人。《聖經》中有一則故事提到，伊利亞先生在治療一個瀕臨死亡的男孩時，就運用了很多對於耶穌基督的信念。」

年輕人想起他遇到的一些人，他們都說是被老人碰觸之後得救的。現在他知道，老人用的就是他自己的信念。

醫師繼續說：「俗語說：『盡人事，聽天命！』當一切都說完或做好了，其他的就留給信念吧。這是每個人隨時隨地都擁有的心靈力量。」

「信念可以治癒任何疾病嗎？」

「信念的力量是無限的，但必須通過實踐才能發生效用。如果我們繼續過著違背健康法則的生活，所有的信念就都是紙上談兵。因為，沒有什麼可以逃離宇宙的控制與影響。」

年輕人問道：「那麼，人們怎樣才能找到信念？我想不出要加入什麼宗教團體。」

「喔！你不需要成為哪個宗教團體的成員，宇宙的創造者即萬事萬物的創造者，而不是某一群人。」醫師說道，「記住！信念跟宗教一點關係也沒有，信念是存在於自身內在的力量。只要願意，你肯定能找到。有時我們會很幸運，信念會隨著某些事情順其自然地到來。」

「哪些事情？」年輕人問道。

「嗯……可能是某個危機。」醫師說，「危機就像是夜晚的風暴，會吹散烏黑的雲層，淨化天空。那時，你只要抬起頭，就會看到星星。」

醫師繼續說：「多年前我一直深信，中國老人是我夢境中虛構的人物，因為集中營裡的生還者沒有人見過他，包括我自己在內。可是最近這幾年，我終於能確定確有其人。」

「什麼令你如此確信？」年輕人問。

「一些像你這樣的人開始敲我的門。」都布列醫師笑著說。

這天夜裡，年輕人坐在床上整理和都布列醫師的對話筆記：

信念的力量

♣信念，是一種使不可能成為可能的心靈力量。

♣信念，將人類的靈魂與更強大的力量連結在一起。
♣要得到健康，不只需要生理的養分，還需要心靈的養分。
♣信念的反面是憂慮、懷疑、恐懼和焦躁不安。
♣不去實踐，信念就是無用的。

狂風暴雨猛力敲打著年輕人臥室的窗戶。

暴風雨停歇，戶外恢復平靜時，年輕人站起來，倚在窗旁仰望著天空。「你到底知道什麼？」他自言自語道。

窗外，點點星光在幽藍的天空閃耀著。此刻，年輕人所有的疑慮、恐懼和憂愁都緩緩消失了。

祕密10 真愛的力量

年輕人開始追尋健康的祕密到今天，已經四十天了。在這段期間裡，他不但學習到健康的法則與祕密，還把這些知識運用到實際的生活當中。

他每天都進行視覺創造力練習和治療宣言訓練；練習深呼吸，並堅持每天都做一些不同的運動；同時，他也改變了飲食習慣，並隨時調整自己的姿勢；他還努力去尋找一些能讓自己發笑的笑料；當然，他也不忘記在家裡和工作場所種植大量的植物，以創造更健康的環境；他更加注重身心的調養，並且，他生平第一次確立自己的生命信念。

新生活讓年輕人感覺脫胎換骨，精神百倍。最令他感到驚訝和高興的是，身上的病症完全消失了。

此時，中國老人給他的名單上，還有一位名叫艾蒂絲・詹姆斯的女士尚未拜訪。當年輕人輕敲她的大門時，內心既期待又不安，他不知道還能學到什麼。

詹姆斯太太是一位臉頰紅潤、眼眸含笑的老婦人，非常和善且容光煥發。這也使得年輕人不由得想起中國老人給他的印象，因此，年輕人覺得詹姆斯太太一定也是位非凡的人。

她對年輕人說：「這真是個驚喜！你打電話給我後，我就在想，你一定是見過道爾先生了。」

「我不知道他叫『道爾』啊！」

「喔，我也不確定，這是我替他取的別號。」

「為什麼？這有什麼特別的意義嗎？」年輕人問。

「『道爾』的正確唸法是『道』，中文的意思是『道路』。我之所以給他這個稱謂，是因為他為我指引了一條健康之道。回想起來，這已經是五十多年前的事了，但當時的情景至今仍然歷歷在目。那時我患了肺結核，生命岌岌可危。但我一直不知道這疾病的嚴重性，直到我無意中聽到醫生在病房外跟護士的談話。醫生交待護士每隔兩個小時就檢查一下我的狀況，護士問為什麼，醫生的回答讓我終生難忘；他說，我想吃什麼都應該盡量滿足我，因為我的壽命只剩不到一個月了！

「你可以想像，聽到這個消息後，我被徹底摧毀了！我還不想死，我才二十三歲啊！我一整天都緊閉著雙眼祈禱。當天晚上，一位中國老人敲門向我推銷雜誌。他說他特地為我帶了一些特別的雜誌。我根本沒有心情看雜誌，但他的笑容是那麼溫暖，我接受了。

「他在病房裡待了一會兒，跟我談了些關於生命和健康的話題。他提到了健康的祕密，又遞給我一張名單，說這些人可以給我一些幫助。我想到自己活不了多久了，突然情不自禁地哭了起來。老人走過來抱住我的肩，安慰我說，一切都會好轉的。最後，我聽到他說：『雜誌裡有一篇特別的文章是專門送給你的，你一定要讀一讀。』

「他離開之後，我停止嗚咽，擦乾眼淚，好奇地拿起雜誌來看。幸好我翻開了雜誌，因為那一篇文章對我而言真的是雪中送炭，挽救了我的性命。」

年輕人聽得入迷，詹姆斯太太繼續說：「你一定在想，是什麼樣的文章，竟然可以挽救一個瀕臨死亡的年輕女人？我告訴你，那篇文章的內容跟健康或醫學一點關係也沒有，只是一個簡單的故事。但對我而言，卻不普通，因為那就像我父親的故事。

「我五歲時，父母就離婚了。之後我再也沒有見過我父親，父親也一直毫無音信，這使我覺得他並不關心我。我父親是一位很傑出的建築師，我和母親搬出父親的房子之後，他卻不曾寄過一張生日卡片給我。那篇文章中提到的那名成就卓越的建築師，出生在我父親的家鄉，和我父親唸同一所中學和大學，跟一個年紀比他小十五歲的澳洲金髮美女結婚。後來建築師結束了那段痛苦、不快樂的婚姻，並且被拒絕去探望唯一的女兒。

「這一切聽起來簡直就是我父親的故事。但這個故事卻說，他寫了許多信給女兒，每逢生日和耶誕節，他也都會寄禮物過去，但從來沒有收到任何回音或訊息。十四年後，他放棄，並且再婚，有了一個新的家庭。

「我一生都沒有得到父愛，父親也得不到我的愛。真相當然是我母親因為痛苦和怨恨，所以把父親的信件和禮物都藏起來，她要我恨我的父親。現在，我躺在病榻上，終於知道自己一直被父親關心、思念和深愛著。我決定在生命結束前讓父親知道，我也愛著他。

「讀完雜誌上那篇故事，我決定馬上打電話給他。我不知道他的電話號碼和地址，可是文章提到了他居住的小鎮，所以，要得到他的電話號碼並不困難。我已經有將近二十年沒有跟他說話，當他接起電話時，我竟無法抑制住自己淚水，歇斯底里地放聲大哭。

「第二天早上，父親坐在床邊緊握著我的手。這種感覺很奇怪，難以言喻。我好像吃了什麼神奇萬靈丹一樣，突然恢復了食欲。幾天之後，我已經可以每天都跟父親在醫院的花園中散步，享受山中的新鮮空氣和花園中玫瑰花的香味。

「過了一段時間，醫生又為我做後續檢查，以追蹤病症的情況。一天，當我和父親正坐在玫瑰花園裡休息時，醫生從屋裡跑出來對著我大喊，手裡還揮舞著幾張紙。原來這次做的所有檢查結果顯示，一切都正常。你相信嗎？完全沒有肺結核的徵兆。我可以繼續活下去了！」

「這感覺一定很棒吧？」年輕人鬆了口氣說道。

「喔！相信我，感覺棒極了！那天晚上我才想起，我一直沒有向那位為我帶來雜誌的中國老人道謝，也沒有機會告訴他，這本雜誌促成了我和父親的重逢。於是我去了醫院的詢問處，問他們可不可以幫我聯絡這位中國老人，他應該是負責我所在區域病房服務工作的。可是……」

「喔！別告訴我……」年輕人打斷她，「他們的工作人員之中沒有中國老人。」

詹姆斯太太笑著說：「當然！」

「你的病為什麼會突然復原？」年輕人問道。

「如你所想的，醫生也為此百思不得其解。我認為我的復原可能歸因於一些綜合的因素，包括飲食、山區裡新鮮的空氣、祈禱和運動。出院後，我從那張名單中找到一些人，並從他們身上學到了健康的祕密。不過，我心裡確信，對我的健康幫助最大的，應該是一種很少被論及，在醫學治療上也很難被認定的東西，那就是『真愛的力量』。」

「是愛幫你驅除了肺結核？」年輕人半信半疑地問道。

「我知道這聽起來很奇怪，但我跟你保證，這是真的。愛，在所有古代經文裡，都被描述為宇宙中最強大的力量。愛，深藏著戰勝所有事物的力量！我曾讀過一則美麗的真實故事：一位旅行者，在北美洲冰天雪地的大草原上獨自旅行。一天，旅人突然在兩個村莊之間被一場突來的暴風雪困住了。嚴寒與體力耗盡，使得他無法再多走一步，他躺下來準備等死。

「突然，他聽到小孩的哭聲。於是他便撐起身體，循著哭聲在暴風雪中摸索。最後，他發現雪地裡躺著一個小女孩。他把小女孩緊緊抱在胸前，想用自己的體溫給她一點溫暖，他決定竭盡全力挽救她的性命。大約走了一百步的距離，他們來到一間小木屋，這是小女孩的家。旅人不但救了小女孩的性命，也救了自己。

「這就是真愛！沒有條件的愛，不求回報地付出，在幫助別人的同時，我們也幫助了自己。宇宙中有許多法則，所有法則都非常重要，其中最偉大的，就是愛的法則，因為愛比任何事物都長久，也是最強大的力量。有了愛，我們可以克服所有的逆境、困難……和病痛。我堅信，愛是戰勝病魔的最重要條件，只是經常被忽略。而且我確信，沒有愛，就不會有源源不斷的健康。」

「可是，愛為什麼對健康這麼重要呢？」年輕人不解地問。

「愛，對健康很重要，是因為它是生命的源泉。沒有了愛，生命就失去了目標和意義，最後我們會變得極度沮喪。自私、生氣、怨恨……是愛的反面，它們會在體內製造出毒素，如同化學毒品一樣毒害我們。

「愛，豐富我們的身體、精神和靈魂。事實上，許多研究早已證實，心中有愛的人比其他人更容易從病痛中復原。」

「這又是什麼道理呢？」年輕人問道。

「當我們感受到愛，白血球數量會增加，釋放出特殊的荷爾蒙，幫助我們對抗壓力和疼痛。幾年前，倫敦的一家教學醫院曾做過一個研究，證明愛如何增進療效。主治醫師通常會在前一晚，逐一拜訪將動手術的病人們，跟他們解釋手術的進行方式。在實驗的對照組，醫師和病人談話時，要握著他們的手，並多付出關懷。結果證明，這一組的病人，平均來說，復原速度比另一組病人快約三倍。

「愛，不只是驅除疾病的必備因素，也是維持健康的要素之一。很多人會生病，是因為他們不愛自己，他們覺得不被愛、不快樂，甚至，很多人的人際關係出了問題。然而，『愛』卻是每個人都具備的。有一個方法可以確保我們得到愛。」

「什麼方法？」年輕人急切地問。

「在付出愛的同時，就會得到愛。」

「喔！我想我明白了，」年輕人說，「我只要幫助別人，或讓別人開心，自己就會覺得愉快。」

「對了！就是這意思。」詹姆斯太太說，「而且，我們付出得越多，收穫也就越多。我們愛得越多，感覺就越棒！這實在太完美了，不是嗎？」

詹姆斯太太交給年輕人一塊銘牌：「這是艾邁特·福克斯在他的書《山上寶訓》中的一段文字。」

銘牌上刻著：

沒有什麼困難是愛無法克服的；沒有什麼疾病是愛無法治療的；沒有什麼門是愛無法打開的；沒有什麼鴻溝是愛無法跨越的；沒有什麼牆是愛無法穿透的；沒有什麼罪過是愛無法贖回的……如果你的心中充盈著愛，你將會是世界上最快樂、最有力量的人……

年輕人回到家中，又仔細讀了這天所做的筆記：

真愛的力量

♣愛，是永恆的治療良方。

♣獲得愛的祕訣，就是付出愛。

尾聲

五年之後，年輕人變得更成熟，也更有智慧了。他成了自然健康療法的作家及講師，專門將改變他生命的健康法則傳授給他人。他以自己的經歷為範例，並一直堅守健康的法則，活得健康而快樂。

他還記得五年前，在拜訪過名單上十個人的兩個多月後，他回醫院去見醫生的情景。那一刻他非常緊張，甚至比兩個多月前第一次走進醫院時還焦慮。醫生坐在他面前，安靜地看著他的檢驗報告，兩分鐘過去了，年輕人覺得這兩分鐘比兩個小時還漫長。最後，醫生推了一下眼鏡看著年輕人。

「嗯……」他微笑著說，「我很高興地告訴你，所有檢查結果都正常，你完全康復了。我必須說，行醫三十年，我從來沒遇到過這麼神奇的復原病例。」

年輕人走出醫生的診療室，關上門，緩慢地走過候診室，繼續往出口走去。在接近出口的時候，他的心跳和腳步都愈來愈快。他猛力推開旋轉門，走出醫院，仰望天空，心裡踏實地高呼：「萬歲！」

健康的祕密讓年輕人走出疾病的陰霾，步入健康的喜悅。他突然想起中國老人曾對他說過的話，如今他終於明白，原來那場病痛帶給他的是多麼珍貴的禮物啊！因為這場病，他的人生更加充實而美滿了。他希望能讓中國老人知道，他們見面之後，他的生命有了什麼樣的變化。他想感謝並告訴老人，他現在瞭解當初那場談話的意義了。

突然，他的思緒被電話鈴聲打斷了。是一位女士的來電，她要求跟他見面，因為有人告訴她，他可以幫助她，所以她想盡快見到他。

「那當然，明天下午如何？嗯……下午三點？」

「太好了！非常感謝你。」女士解釋說，「有人告訴我，你知道如何幫助我。」

「我盡力而為。」他向她保證，「可是你能告訴我，是誰把我的電話號碼告訴你的嗎？」

「我也不知道他的名字，我在今天早晨遇見他，他說他是你的朋友……嗯，一位中國老人。」

年輕人微笑著掛斷電話，喃喃自語：「『道』先生，不論你在何處，上帝保佑你！」

健康的祕密箴言

♣意念的力量可以克服一切困難，治癒所有疾病，幫助你常保健康。

♣要確認我們所吃的食物中，有百分之七十是富含水分的。

♣正確的姿勢是健康的基本條件，不良姿勢會阻礙血液循環、限制神經傳導，並引發疾病。

關於你的健康的祕密

你也在尋找那位中國老人嗎？

其實，他已經出現了，

並且交給你一個任務——

寫下你關於健康的祕密，
並將之散播開來！

國家圖書館出版品預行編目資料

健康的祕密／亞當・傑克遜（Adam J. Jackson）著；周思芸譯. --——初版. ——
臺北市：商周出版：家庭傳媒城邦分公司發行, 2009.01
面；　公分. ——（View point；27）
譯自：The ten secrets of abundant health
ISBN 978-986-6571-86-2（平裝）

1. 健康法

411.1　　　　　　　　97023037

View point 27

健康的祕密

The Ten Secrets of Abundant Health

作　　者／亞當・傑克遜（Adam J. Jackson）
譯　　者／周思芸
企畫選書人／彭之琬
責任編輯／徐藍萍

版　　權／林心紅
行銷業務／蘇魯屏、賴曉玲
總 編 輯／彭之琬
總 經 理／黃淑貞
發 行 人／何飛鵬
法律顧問／台英國際商務法律事務所 羅明通律師
出　　版／商周出版
台北市104民生東路二段141號9樓
電話：(02) 25007008　傳真：(02)25007759
E-mail：bwp.service@cite.com.tw
發　　行／英屬蓋曼群島商家庭傳媒股份有限公司 城邦分公司
台北市中山區民生東路二段141號2樓
書虫客服服務專線：02-25007718；25007719
服務時間：週一至週五上午09:30-12:00；下午13:30-17:00
24小時傳真專線：02-25001990；25001991
劃撥帳號：19863813；戶名：書虫股份有限公司
讀者服務信箱：service@readingclub.com.tw
城邦讀書花園：www.cite.com.tw
香港發行所／城邦（香港）出版集團有限公司
香港灣仔駱克道193號東超商業中心1樓_ E-mail:hkcite@biznetvigator.com
電話：(852) 25086231　傳真：(852) 25789337
馬新發行所／城邦（馬新）出版集團【Cite (M) Sdn. Bhd. (458372U)】
11, Jalan 30D/146, Desa Tasik, Sungai Besi,
57000 Kuala Lumpur, Malaysia
電話：（603）90563833　傳真：（603）90562833

封面設計／黃心磊
排　　版／極翔企業有限公司
印　　刷／韋懋印刷事業有限公司
總 經 銷／聯合發行股份有限公司 電話：(02) 29178022　傳真：(02) 29156275

■2009年01月01日初版　　Printed in Taiwan
■2012年04月12日初版8.5刷
定價99元

 ISBN 978-986-6571-86-2（平裝）